标准教程
STANDARD COURSE

HSK

主编： 姜丽萍
LEAD AUTHOR: Jiang Liping

编者： 杨慧真、么书君
AUTHORS: Yang Huizhen, Yao Shujun

6下

北京语言大学出版社
BEIJING LANGUAGE AND CULTURE
UNIVERSITY PRESS

序

　　2009年全新改版后的HSK考试，由过去以考核汉语知识水平为主，转为重点评价汉语学习者运用汉语进行交际的能力，不仅在考试理念上有了重大突破，而且很好地适应了各国汉语教学的实际，因此受到了普遍欢迎，其评价结果被广泛应用于汉语能力的认定和作为升学、就业的重要依据。

　　为进一步提升孔子学院汉语教学的水平和品牌，有必要建立一套循序渐进、简便易学、实用高效的汉语教材体系和课程体系。此次经国家汉办授权，由汉考国际（CTI）和北京语言大学出版社联合开发的《HSK标准教程》，将HSK真题作为基本素材，**以自然幽默的风格、亲切熟悉的话题、科学严谨的课程设计**，实现了与HSK考试内容、形式及等级水平的全方位对接，是一套充分体现考教结合、以考促学、以考促教理念的适用教材。很高兴把《HSK标准教程》推荐给各国孔子学院，相信也会对其他汉语教学机构和广大汉语学习者有所裨益。

　　感谢编写组同仁们勇于开拓的工作！

许　琳

孔子学院总部　总干事

中国国家汉办　主　任

前 言

自2009年国家汉办推出了新汉语水平考试（HSK）以来，HSK考生急剧增多。至2013年底，全球新HSK实考人数突破80万人。随着汉语国际教育学科的不断壮大、海外孔子学院的不断增加，可以预计未来参加HSK考试的人员会越来越多。面对这样一个庞大的群体，如何引导他们有效地学习汉语，使他们在学习的过程中既能全方位地提高汉语综合运用能力，又能在HSK考试中取得理想成绩，一直是我们思考和研究的问题。编写一套以HSK大纲为纲，体现"考教结合""以考促教""以考促学"特点的新型汉语系列教材应当可以满足这一需求。在国家汉办考试处和北京语言大学出版社的指导下，我们结合多年的双语教学经验和对汉语水平考试的研究心得，研发了这套考教结合的新型系列教材《HSK标准教程》（以下简称"教程"）。

一、编写理念

进入21世纪，第二语言教学的理念已经进入后方法时代，以人为本，强调小组学习、合作学习，交际法、任务型语言教学、主题式教学成为教学的主流，培养学习者的语言综合运用能力成为教学的总目标。在这样一些理念的指导下，"教程"在编写过程中体现了以下特点：

1. 以学生为中心，注重培养学生的听说读写综合运用能力

"考教结合"的前提是为学生的考试服务，但是仅仅为了考试，就会走到应试的路子上去，这不是我们编教的初衷。如何在为考试服务的前提下重点提高学生的语言能力，是我们一直在探索的问题，也是本套教材的特色之一。以HSK一、二级为例，这两级的考试只涉及听力和阅读，不涉及说和写，但是在教材中我们从一级开始就进行有针对性的语音和汉字的学习和练习，并且吸收听说法和认知法的长处，课文以"情景＋对话＋图片"为主，训练学生的听说技能。练习册重点训练学生的听力、阅读和书写的技能，综合起来培养学生的听说读写能力。

2. 融入交际法和任务型语言教学的核心理念

交际法强调语言表达的得体性和语境的作用，任务型语言教学强调语言的真实性和在完成一系列任务的过程中学习语言，两种教学法都强调语言的真实和情境的设置，以及在交际过程中培养学生的语言能力。HSK考试不是以哪一本教材为依据进行的成绩测试，而是依据汉语水平考试大纲而制定的，是考查学习者语言能力的能力测试。基于这样的认识，"教程"编写就不能像以往教材那样，以语言点为核心进行举一反三式的重复和训练，这样就不能应对考试涉及的方方面面的内容，因此我们在保证词语和语法点不超纲的前提下，采取变换情境的方式，让学习者体会在不同情境下语言的真实运用，在模拟和真实体验中学习汉语。

3．体现了主题式教学的理念

主题式教学是以内容为载体、以文本的内涵为主体所进行的一种语言教学活动，它强调内容的多样性和丰富性，一般来说，一个主题确定后，通过接触和这个主题相关的多个方面的学习内容，加速学生对新内容的内化和理解，进而深入探究，培养学生的创造能力。"教程"为了联系学生的实际，开阔学生的视野，从四级分册开始以主题引领，每个主题下又分为若干小主题，主题之间相互联系形成有机的知识网络，使之牢固地镶嵌在学生的记忆深处，不易遗忘。

二、"教程"的特色

1．以汉语水平考试大纲为依据，逐级编写"教程"

汉语水平考试（HSK）共分六个等级，"教程"编教人员仔细研读了"大纲"和出题指南，并对大量真题进行了统计、分析。根据真题统计结果归纳出每册的重点、难点、语言点、话题、功能、场景等，在遵循HSK大纲词汇要求的前提下，系统设计了各级别的范围、课时等，具体安排如下：

教材分册	教学目标	词汇量（词）	教学时数（学时）
教程1	HSK（一级）	150	30～45
教程2	HSK（二级）	300	30～45
教程3	HSK（三级）	600	60～80
教程4（上/下）	HSK（四级）	1200	80～120
教程5（上/下）	HSK（五级）	2500	160～240
教程6（上/下）	HSK（六级）	5000及以上	240～320
总计：9册		5000以上	600～850

这种设计遵循汉语国际教育的理念，注重教材的普适性、应用性和实用性，海内外教学机构可根据学时建议来设计每册书完成的时限。比如，一级的《教程1》规定用34学时完成，如果是来华生，周课时是8课时的话，一个月左右就能学完；在海外如果一周是4课时的话，学完就需要两个月的时间。以此类推。一般来说，学完《教程1》就能通过一级考试，同样学完《教程2》就能通过二级考试，等等。

2．每册教材配有练习册，练习册中练习的形式与HSK题型吻合

为了使学习者适应HSK的考试题型，教材的各级练习册设计的练习题型均与该级别的HSK考试题型吻合，从练习的顺序到练习的结构等都与考题试卷保持一致，练习的内容以本课的内容为主，目的是使学习者学完教材就能适应HSK考试，不需额外熟悉考试形式。

3．单独设置交际练习，紧密结合HSK口试内容

在HSK考试中，口试独立于笔试之外，为了培养学生的口语表达能力，在教程中，每一课都提供交际练习，包括双人活动和小组活动等，为学习者参加各级口试提供保障。

本套教程在策划和研发过程中得到了孔子学院总部/国家汉办、北京语言大学出版社和汉考国际（CTI）的大力支持和指导，是全体编者与出版社总编、编辑和汉办考试处、汉考国际命题研发人员集体智慧的结晶。本人代表编写组对以上机构和各位参与者表示衷心的感谢！我们希望使用本教程的师生，能够毫无保留地把使用的意见和建议反馈给我们，以便进一步完善，使其成为教师好教、学生好学、教学好用的好教程。

姜丽萍

本册说明

《HSK标准教程6》适合学习超过360学时，大致掌握新HSK一至五级大纲所包含的2500个词语，准备参加HSK（六级）考试的汉语学习者使用。

一、全书分为上、下册，共40课，10个单元，教材涵盖HSK（六级）大纲中包含的2500个新增词语和部分超纲词（教材中用"*"标注）。每课建议授课时间为6~8学时。

二、本教材基本继承了《HSK标准教程》前五级的编写思路和体例，在难度、深度和广度上加以延伸，同时根据HSK（六级）考试特点进行了相应设计调整。

三、教程每课分为六大板块：热身、课文（含生词）、注释、练习、运用、扩展。

1. **热身**。热身环节旨在调动学习者的学习热情和兴趣，为新课的教学做好引入和铺垫。每课热身由两部分构成，第一部分通过图片导入，主要目的是导入本课部分生词；导入本课话题，引发讨论；回顾与本课部分生词相关的已学生词。第二部分通过语素构词的方法扩展学生的词汇量，让学生进一步熟悉汉语的构词特点，感受汉语词汇的可理解性。这一部分所遵循的原则为：（1）选择构词能力强的语素，（2）构词语素已学过，（3）语素义相对集中。热身的设计注重相关性、综合性、趣味性和可操作性，教师可要求学习者提前预习，或在正课开始前花少量时间引导学习者进行预热。

2. **课文**。所有课文话题均根据HSK（六级）真题语料统计确定。每单元有一个共同主题，每个主题包括四课。课文选择照顾到HSK（六级）话题的多样性，尽量多地涵盖真题统计出来的话题。全书40课，涵盖了人文、社会、科技、自然、文化、人物、经济、职业、历史、地理、文学、体育、生活、艺术、军事等话题，基本做到命题大纲中所提到的话题全覆盖，同时还增加了真题中并未出现但六级词汇涉及的话题，如军事等。语料选取注重实用性、趣味性、规范性、真实性、教益性。课文长度从700字左右增加到1500字左右，呈阶梯状分布，做到循序渐进，逐级提高。课文以叙述、议论为主，兼及描写、说明，便于学习者掌握多种风格的文体。

3. **注释**。注释环节上册分为两部分，第一部分是"综合注释"，选取课文中出现的难点词语和语言结构等，从语义、语用等方面进行讲解，配合例句和练习，希望达到边学边用的目的。第二部分是"词语辨析"，选择一对易混淆的词语进行比较，除了配合例句讲解词语的异同以外，后边还配有4个即时操练题。下册除了这两部分以外，还有"篇章修辞"的内容，以提升学习者的语篇理解与表达能力。

4. **练习**。这一环节设计了多种形式的练习题，包括模仿例子，写出更多词语；用所给词语（或结构）改写（或完成）句子；选择合适的词语填空；模仿造句；根据提示，简述课文主要内容；等等。练习的目的是综合操练本课新学的重点词语和课文。结合HSK考试题型，我们在该级别特别设计了在语段中完形填空的练习形式。教师可以根据教学需要灵活安排，既可在注释讲练之后进行，也可在本课小结时用来检测学习者的学习情况，部分练习还可留作课后作业，以巩固和检查学习者对当课主要内容的掌握程度。

5.运用。运用环节主要针对HSK（六级）的标准和测试题型，重点训练学习者的写作能力，每课提供一个与本课主题或内容相关的话题，学习者可以先通过题目说明了解相关知识、文化常识等，然后根据具体要求，进行写作。为配合HSK（六级）考试，我们针对部分课文安排了缩写练习。

6.扩展。扩展环节上册特别安排了病句类型分析，针对HSK（六级）题型专门设计，每隔一课出现一次，举例讲解10种病句类型，并配有适当练习。另外上下册均通过各种形式（如意义类聚、话题类聚、语素类聚等），从六级新增2500词中选取部分词语，分类汇总，在每课列举其中1~2类进行扩展。词语的分类在考虑词义关联度的同时，兼顾义类与本课课文或生词的联系。

以上是对本教程使用方法的一些说明和建议，教师可以根据实际情况灵活使用本教材。希望本教程科学严谨、有针对性的设计可以帮助学习者顺利、轻松、高效地达成目标，实现从初级汉语到中级汉语跨越式的提升，有效地提高汉语水平与应试能力。

编者

目录 Contents

综合注释	词语辨析	篇章修辞	扩展
1. 以免 2. 嫌	不免—未免	篇章（1） 省略	词汇：名词
1. 动不动 2. 甲乙丙丁……	担保—保证	篇章（2） 词汇衔接	词汇：（1）反义词 （2）词语搭配
1. 加以 2. 大大、远远	万分—十分	修辞（1） 仿词	词汇：近义词
1. 紧缩句 2. 特意	特意—故意	修辞（2） 比拟	词汇：词语搭配
1. 即将 2. 能A就A	大致—大体	篇章（3） 替代	词汇：词语的语素义
1. 别说 2. 来来回回	挨—受	修辞（3） 比喻	词汇：（1）名词 （2）文学方面的词语
1. 左……右…… 2. 不成	一贯—一直	修辞（4） 引用	词汇：（1）反义词 （2）学业方面的词语
1. 与"个"相关的格式 2. 向来	气势—气魄	修辞（5） 婉曲	词汇：（1）词语的语素义 （2）动物生活方面的词语
1. 预先 2. ……也好，……也罢	诸—各	修辞（6） 设问	词汇：（1）近义词 （2）政治方面的词语
1. 不时 2. 多多少少	容忍—忍受	篇章（4） 连接	词汇：名词
1. 逐 2. 归根到底	胡乱—随便	修辞（7） 大词小用	词汇：词语的语素义
1. 哪怕 2. 反之	许可—允许	修辞（8） 排比	词汇：词语搭配

综合注释	词语辨析	篇章修辞	扩展
1. A的A，B的B 2. 一时	现场—当场	修辞（9） 借代	词汇：词语的语素义
1. 尚且 2. 当	温和—温柔	篇章（5） 过渡	词汇：表示人物身份的词语
1. 终究 2. 愈……愈……	连年—连续	篇章（6） 重复关键 词，推进 主题	词汇：词语的语素义
1. 一经 2. 本着+名词	截止—终止	篇章（7） 论点+例证	词汇：（1）词语搭配 （2）词语的语素义
1. 为……起见 2. 暂且	恐惧—恐怖	篇章（8） 照应	词汇：词语的语素义
1. 屡次 2. 依据	就近—附近	修辞（10） 反复	词汇：（1）医学方面的词语 （2）金融方面的词语
1. 任意 2. 尚未	乐趣—兴趣	修辞（11） 夸张	词汇：（1）法律方面的词语 （2）政治方面的词语
1.(把)……放在眼里 2. 不无	顽强—坚强	篇章（9） 先总说， 再分说	词汇：（1）军事方面的词语 （2）政治方面的词语

趣味世界
The fun world

Unit 6

21 未来商店
Future shops

你喜欢网络购物吗？你觉得未来商店会是什么样子的？实体商店还会存在吗？请谈一谈你的设想。

未来商店

2 想一想下列词语之间有什么联系。

体	实体、本体、客体、个体、集体、全体、球体、群体、团体、物体、整体、主体、总体、具体
奔	奔走、奔跑、奔驰、奔忙、奔波、奔腾、飞奔、狂奔、疲于奔命
屏	触摸屏、荧屏、显示屏、宽屏、窄屏、屏幕
能	性能、功能、智能、职能、本能、才能、机能、技能、效能、全能、万能、无能、低能

课文 Text

如今喜欢网络购物的人急剧增加，买东西不用在川流不息的人群中奔走，仅需登录网站，动几下手指，下几道指令就可以把东西买回家，人类根深蒂固的购物习惯正在改变。我们不免要问：网上购物如此方便，未来实体商店还会存在吗？有人这样预言：实体商店若想存在，必须进行根本性的革命，而不是改良，否则实体店昔日的欣欣向荣终将一去不复还。

有人这样描述未来商店：那里的仓库货物储备管理、销售结算、客户关系管理等，全部实现电子化。在那儿几乎见不到工作人员，顾客可以自己动手完成整个购物过程。未来商店实行的将是一种全新的商业模式。

未来商店的购物车把手上装有购物助手——一个可随意装卸的无线电脑工具。消费者想买哪种商品，小屏幕上就会显示商品所在的位置，当消费者走到相应货架时，仪器会发出提示音，以免消费者错过商品。如果你想吃鲜鱼，又嫌腥，不愿自己加工，可以在触摸屏上留言，等店员把鱼清理好后，再去领取，不必排队等候。如果想买

生词 🔾 21-2

1. 急剧　　　jíjù　adj. rapid, sharp, sudden
2. 川流不息　chuānliú-bùxī
　　　　　　coming and going all the time
3. 登录　　　dēnglù　v. to log in
4. 指令　　　zhǐlìng　n. order, instruction
5. 根深蒂固　gēnshēn-dìgù
　　　　　　deep-seated, deep-rooted,
　　　　　　ingrained
6. 不免　　　bùmiǎn　adv. unavoidably
7. 预言　　　yùyán　v. to predict, to foretell
8. 革命　　　gémìng　v. revolution
9. 改良　　　gǎiliáng
　　　　　　v. to improve, to reform
10. 欣欣向荣　xīnxīn-xiàngróng
　　　　　　thriving, flourishing, prosperous
11. 仓库　　　cāngkù　n. warehouse
12. 储备　　　chǔbèi
　　　　　　v. to store for future use
13. 结算　　　jiésuàn
　　　　　　v. to settle accounts, to wind
　　　　　　up an account
14. 模式　　　móshì　n. mode, pattern
15. 把手　　　bǎshou　n. handle
16. 装卸　　　zhuāngxiè
　　　　　　v. to load and unload
17. 屏幕　　　píngmù　n. screen
18. 相应　　　xiāngyìng　v. corresponding
19. 仪器　　　yíqì　n. instrument, apparatus
20. 以免　　　yǐmiǎn　conj. lest, for fear that
21. 嫌　　　　xián
　　　　　　v. to dislike, to mind,
　　　　　　to complain of
22. 腥　　　　xīng
　　　　　　adj. having the smell of fish,
　　　　　　seafood, etc.
23. 清理　　　qīnglǐ　v. to clear up
24. 等候　　　děnghòu　v. to wait

手机，又不了解哪一款性能更适合自己，也无须烦恼，电子便利站会为你把关，在那儿一系列选择题会为你提供决策支持和购买建议。

购物完毕，该结账了，未来商店无须人工过秤，带有摄像头的结账系统可以识别商品的重量和体积，迅速运算，之后给出消费钱数的总和，自动收款机则可接受现金和刷卡支付。

消费者加入设计队伍，是未来商店着重推荐的服务，譬如，你想买衣服，可是你觉得市场上的几款都不太满意，那就参与设计吧。你登录到虚拟设计室，进入设计过程，对颜色、外观等设计内容进行投票，这样设计出来的衣服保管你满意。

在未来商店，商家和消费者的互动非常活跃。不管你是想买样式新颖的羽绒服、旗袍，还是想买你中意的音响、收音机、水龙头或者只是几枚纽扣儿、一个插座，再或者是勘探矿产的工具，你只要把照片发送到专门的网站，就能得到反馈："您查询的商品在某某店有售，那里有多种款式供您选购。"这样的互动方便了顾客，也为商家带来了生意。

25.	性能	xìngnéng
		n. function (of a machine, etc.), performance
26.	便利	biànlì adj. convenient
27.	把关	bǎ guān v. to check on
28.	人工	réngōng
		n. manpower, labor
29.	秤	chèng n. weighing scale
30.	运算	yùnsuàn v. to calculate
31.	总和	zǒnghé n. sum
32.	着重	zhuózhòng v. emphatically
*33.	虚拟	xūnǐ adj. virtual
34.	投票	tóu piào v. to vote
35.	保管	bǎoguǎn v. to guarantee
36.	新颖	xīnyǐng adj. fashionable
37.	羽绒服	yǔróngfú n. down jacket
38.	旗袍	qípáo
		n. cheongsam, a close-fitting woman's dress with high neck and slit skirt
*39.	中意	zhòng yì v. to like
40.	音响	yīnxiǎng n. stereo
41.	收音机	shōuyīnjī n. radio
42.	水龙头	shuǐlóngtóu n. water tap
43.	枚	méi m. piece
44.	纽扣儿	niǔkòur n. button
45.	插座	chāzuò n. socket
46.	勘探	kāntàn
		v. to prospect (mineral resources)
47.	矿产	kuàngchǎn
		n. mineral resources
48.	反馈	fǎnkuì v. to give feedback
49.	款式	kuǎnshì
		n. model, style, design

未来商店对消费者的关怀可谓无微不至，他们根据消费者的个人生活习惯，把握消费者的需求，将商店变为以消费者为主导的店铺。努力使整个购物过程轻松、快捷、便利，是未来商店每一项设计的宗旨。

试想，这样的商店怎么能不生意兴隆呢！

改编自《北京晚报》文章《未来商店什么样》

50. 关怀	guānhuái
	v. to show loving care for
51. 无微不至	wúwēi-búzhì
	meticulously, in every possible way
52. 需求	xūqiú
	n. demand, need, requirement
53. 主导	zhǔdǎo n. lead
54. 兴隆	xīnglóng
	adj. prosperous, thriving, flourishing, brisk

注释（一）综合注释

Notes 1 以免

"以免"，连词，表示避免出现某种不希望的情况。经常出现在后一小句的开头。多用于书面语。例如：

（1）重要的是，要学会从失败中吸取教训，以免今后再发生类似的问题。

（2）感冒时应尽量少去公共场所，必须去的话，最好戴上口罩，以免传染别人。

（3）消费者想买哪种商品，小屏幕上就会显示商品所在的位置，当消费者走到相应货架时，仪器会发出提示音，以免消费者错过商品。

● 练一练：用"以免"完成句子

（1）机动车和非机动车应该各行其道，以免_____

_____。

（2）使用电脑工作时，不要忘了经常保存你的文件，以免_____

_____。

（3）我们必须不断地看书、学习、充实自己，以免_____

_____。

2 嫌

"嫌"，动词，表示不喜欢、不满意。常用格式为"嫌 + 名词 / 形容词 / 小句"。例如：

（1）我从来没嫌你，也没嫌过孩子哭。

（2）如果你想吃鲜鱼，又嫌腥，不愿自己加工，可以在触摸屏上留言，等店员把鱼清理好后，再去领取，不必排队等候。

（3）大家都嫌这个旅行计划不够合理，几个最值得去的地方都不在计划之内。

● 练—练：完成句子

（1）她喜欢为大家做事，从不嫌_____。

（2）他嫌_____，衣服送来以后就放在那儿，一次都没穿过。

（3）她嫌_____，决定搬出学校，和朋友一块儿在外面合租房子。

（二）词语辨析

■ 不免——未免

	不免	未免
共同点	都是副词，都有不能避免的意思。	
	如：这样教学，不免/未免误人子弟。	
不同点	1. 表示客观上不容易避免，在某种情况下自然产生某种结果，前面应该叙述产生这一结果的原因。	1. 表示对某种情况不赞同，侧重在评价，有"不能不说是……"的意思。前面可以不叙述原因。
	如：①他不免会犯错误。（×）②他刚参加工作，不免会犯错误。（√）	如：你这么做，未免太过分。（√）
	2. 后面只能跟肯定式，不能跟否定式。	2. 后面能跟肯定式和否定式。
	如：①他这样说，人家不免会生气。（√）②他这样说，人家不免不高兴。（×）	如：①你现在才来，未免太晚了。（√）②他这样对待客人，未免不礼貌。（√）

- **做一做**：判断正误

① 旧地重游，感慨万千，让人不免想起往事。　　　　（　　）
② 真是的，他未免太不会关心人了，干脆分手算了。　（　　）
③ 星期天，我不免有些闷闷不乐。　　　　　　　　　（　　）
④ 听到老师表扬他，他未免高兴起来，手舞足蹈的。　（　　）

（三）篇章修辞

■■■ 篇章（1）省略

　　当前后分句主语相同时，因为前面分句用了主语，后面分句一般可以省略主语。例如：

（1）如果你想吃鲜鱼，（你）又嫌腥，（你）不愿自己加工，（你）可以在触摸屏上留言，（你）等店员把鱼清理好后，（你）再去领取，（你）不必排队等候。

（2）你登录到虚拟设计室，（你）进入设计过程，（你）对颜色、外观等设计内容进行投票，这样设计出来的衣服保管你满意。

（3）他们先从学校去了车站，然后（他们）坐了6个小时的火车到了林县，（他们）又从林县坐了2个小时的大巴才终于到了红旗渠。

- **练一练**：指出下列句子的问题并改正

（1）新年的临近给全家带来了节日的气氛，全家人又打扫卫生，全家人又擦玻璃，还买来了花瓶，插上了鲜花。

　　＿＿＿＿＿＿＿＿＿＿＿＿＿＿＿＿＿＿＿＿＿＿＿＿＿＿＿＿＿＿
　　＿＿＿＿＿＿＿＿＿＿＿＿＿＿＿＿＿＿＿＿＿＿＿＿＿＿＿＿＿。

（2）他八岁起就喜欢上了足球，他天天在球场上一直泡到天黑，后来他终于进了国家队。

　　＿＿＿＿＿＿＿＿＿＿＿＿＿＿＿＿＿＿＿＿＿＿＿＿＿＿＿＿＿＿
　　＿＿＿＿＿＿＿＿＿＿＿＿＿＿＿＿＿＿＿＿＿＿＿＿＿＿＿＿＿。

（3）那是一只黄色的小猫，它只比我的手掌大一点儿，我给它起了个名字叫宝宝。我在前面走，它在后面跟着，它两只大眼睛看着我，它眼中充满无知、天真、信任和快乐。

　　＿＿＿＿＿＿＿＿＿＿＿＿＿＿＿＿＿＿＿＿＿＿＿＿＿＿＿＿＿＿
　　＿＿＿＿＿＿＿＿＿＿＿＿＿＿＿＿＿＿＿＿＿＿＿＿＿＿＿＿＿＿
　　＿＿＿＿＿＿＿＿＿＿＿＿＿＿＿＿＿＿＿＿＿＿＿＿＿＿＿＿＿。

练习
Exercises

1 模仿例子，写出更多的词语

例：预言：<u>预测　　预防　　预报　　预计</u>

改良：_____

储备：_____

结算：_____

装卸：_____

2 用所给词语改写句子

❶ 最近几十年，世界人口快速增加，给地球造成了巨大压力。　（急剧）

_____。

❷ 为了不耽误第二天的考试，他前一天晚上定好了闹钟。　（以免）

_____。

❸ 我觉得食堂的饭菜太油腻，所以自己动手做饭。　（嫌）

_____。

❹ 今天的会议上，总经理重点强调了以下几个问题。　（着重）

_____。

❺ 这是一家百年老店了，饭菜一定让你满意。　（保管）

_____。

❻ 他们细心周到的服务让顾客有回家的感觉。　（无微不至）

_____。

3 选择合适的词语填空

模式　　性能　　运算　　屏幕　　需求

❶　　最近我买了一台_____很好的电脑。_____很大，_____速度超级快，还有多种开机_____可供选择，满足了我多方面的_____，我对它爱不释手。

川流不息　　相应　　反馈　　等候　　指令

❷　　以前，每到选举的日子，投票站里参加选举的人总是_____，需要很多人手来维持秩序。现在改为网络选举了，选民们只需登录_____的网站，根据_____投票即可，无须排队_____，整个过程是否公正合理，最后还能在电脑上看到_____意见。

4 朗读下面几段话，请补充出省略的主语

① 从前有一个男孩，和我们年纪一样大，当然也和我们一样有很多想法，比如想上一所理想的大学，想周游世界，想做一些令人瞩目的事。按道理，只要努力，这些想法中至少有一些能实现。

② 他到了就业的年龄，没有找工作，一天到晚四处闲逛，结果，因为一次合伙抢劫，被判了五年。

③ 作为演员，我非常渴望观众的掌声，把它看作是对我演艺事业最高的奖赏。但是，掌声是不能强求的，只有尊重观众的情感，让他们真正感到快乐，才能得到他们发自内心的真正的掌声。

④ 后来，我在大学里获得了足球奖学金，由此获得了接受教育的机会；在全美国的后卫球员中，两次被公众认可，并且在美国国家足球联盟队员的挑选赛中，排在第七位。

5 根据提示，简述课文主要内容

传统购物方式与网络购物方式的区别		① 传统购物方式 ② 网络购物方式
未来商店的特点		① 电子化 ② 工作人员
未来商店的购物模式	购物助手	① 显示商品位置 ② 触摸屏留言 ③ 便利站把关
	结账	① 结账系统识别 ② 自动收款机
	参与设计	登录、进入设计过程、投票
	互动	发送照片、得到反馈
未来商店的设计主旨		轻松、快捷、便利

运用
Application

写一写

这篇课文给我们描述了未来商店的运行模式，与传统购物方式相比，未来商店在购物过程、与顾客的互动、满足顾客需求等方面都有更多的优越性。请参考练习5，把课文缩写成350字左右的短文。

_____

_____

_____

扩展
Expansion

词汇：看图片，熟悉下列名词

堤坝
湖边修起了一条长长的堤坝。

（涮）火锅
（涮）火锅是寒冷的冬天里深受人们喜爱的一道美味。

园林
中式园林很讲究左右对称。

棍棒
他正在使用棍棒表演武术。

商标
商品上都有注册商标。

喇叭
那儿有两个吹喇叭的老人。

城堡
孩子们都喜欢童话般的城堡。

炉灶
炉灶上炖着一大锅香气扑鼻的鸡汤。

22 2050年的汽车什么样
What will cars be like in 2050?

关于未来的汽车，你认为会具有什么样的功能？请在下面选择。

1. 能够自动驾驶。

2. 节能环保。

3. 水上、陆地、空中都能行驶。

4. 具有更多数字生活功能。

其他：

2 想一想下列词语之间有什么联系。

油	石油、汽油、柴油、花生油、豆油、橄榄油、奶油、黄油、鱼油、菜籽油、鞋油、加油、油炸、油田
缺	紧缺、缺少、缺乏、缺口、缺课、缺水、缺觉、缺勤
迹	劣迹、事迹、奇迹、名胜古迹、足迹、笔迹、痕迹、污迹、血迹、迹象
导	引导、指导、领导、向导、主导、倡导、先导、导游、导演、导师、导航

课文
Text

2050年的汽车什么样 （986字） 🔲 22-1

每次遇到交通堵塞，那些滞留在路上，被堵车折磨得心烦意乱的人们就会想：汽车要是也有双翼，能飞起来就好了。人们的期盼，有可能变为现实吗？2050年，汽车会是什么样？别的不敢担保，以下四点大体为我们勾画出了2050年汽车的轮廓。

甲 更加清洁、安全

我们首先要问的是，2050年汽车还会存在吗？我们常常听到这样的指责：北极冰川在融化；空气质量在下降；石油资源日益紧缺；每年全球一百多万人死于交通事故，都是汽车惹的祸。鉴于以上劣迹，人类会不会忍痛割爱？根据优胜劣汰的原则，汽车会不会被取代？一切皆有可能，但作为一种将人解放出来的灵活的交通工具，动不动就要将其淘汰，似乎不是明智之举，根本出路还是要在清洁环保、规范驾车出行上下功夫。谋求这一交通工具的清洁、安全，是2050年对汽车最起码的要求。

生词 🔲 22-2

1. 堵塞　dǔsè　v. to jam, to block
2. 滞留　zhìliú
　　v. to be detained, to be stuck in
3. 折磨　zhémó　v. to torture
4. 翼　yì　n. wing
5. 担保　dānbǎo
　　v. to warrant, to guarantee,
　　to ensure
6. 大体　dàtǐ
　　adv. roughly, more or less,
　　on the whole
*7. 勾画　gōuhuà
　　v. to draw the outline of, to sketch
8. 轮廓　lúnkuò　n. outline
9. 指责　zhǐzé
　　v. to censure, to criticize
10. 融化　rónghuà
　　v. to melt, to thaw
11. 石油　shíyóu　n. petroleum
12. 事故　shìgù　n. accident
13. 割　gē　v. to cut, to give up
14. 优胜劣汰　yōushèng-liètài
　　survival of the fittest; to select
　　the superior and eliminate the
　　inferior
15. 皆　jiē
　　adv. all, each and every
16. 明智　míngzhì
　　adj. wise, sensible
17. 出路　chūlù　n. way out
18. 规范　guīfàn
　　adj. standard, normative
19. 谋求　móuqiú
　　v. to seek, to strive for

乙　能自动行驶

2050年，无人干预，能够自动在平坦的高速路上奔驰的车辆将会走进家庭。欧洲正试图实现由一名职业司机驾车引导一长串汽车前行，它们像是一条线上的珍珠，在路上移动。被引导车辆上的驾驶者可以工作，也可以休息，职业司机的工作效益也将大大提高。汽车抵达终点后，车上配备的高科技系统能使车辆自动停泊入位。这就是人类力求实现的汽车自动行驶。

丙　融合数字生活方式

某家著名的搜索引擎公司意识到，为个人驾驶提供服务蕴藏着巨大的商机，于是，他们迫不及待地加入到汽车研发的行列，车企与电脑公司合作几乎成了无法阻挡的潮流。创造虚拟个人助理，为汽车用户提供路线、交通信息和日程安排等方面的帮助，在2050年将会是必然的服务，而非锦上添花。数字生活方式将完全与汽车融为一体，为汽车的方便、安全使用提供保障。

丁　长途行车仍靠汽油

2050年的汽车动力是什么？电力？风力？还是依然用汽油和柴油？有人会说，清洁能源的开发就是要遏制汽油、柴油的使用。没错，作为日常交通工具，电动汽车的比重一定会提高，可是跑长途呢？电动汽车也许能承受超远距离行驶，但电池可能很

20. 干预	gānyù	v. to intervene, to meddle
21. 平坦	píngtǎn	adj. flat, smooth, even, level
22. 奔驰	bēnchí	v. to run quickly, to speed
23. 试图	shìtú	v. to attempt, to try
24. 引导	yǐndǎo	v. to guide, to lead
25. 串	chuàn	m. string
26. 珍珠	zhēnzhū	n. pearl
27. 效益	xiàoyì	n. efficiency
28. 抵达	dǐdá	v. to arrive at, to reach
29. 终点	zhōngdiǎn	n. destination, terminal point
30. 配备	pèibèi	v. to be equipped with
31. 停泊	tíngbó	v. to park
32. 力求	lìqiú	v. to make every effort to, to do one's best to, to strive to
33. 丙	bǐng	n. third
*34. 融合	rónghé	v. to integrate
35. 引擎	yǐnqíng	n. engine
36. 行列	hángliè	n. ranks
37. 潮流	cháoliú	n. trend, fashion
38. 助理	zhùlǐ	n. assistant
39. 锦上添花	jǐnshàng-tiānhuā	to add a beautiful thing to a contrasting beautiful thing, to add brilliance to one's present splendor
40. 保障	bǎozhàng	v. to guarantee
41. 丁	dīng	n. fourth
42. 柴油	cháiyóu	n. diesel oil
43. 遏制	èzhì	v. to control, to curb
44. 比重	bǐzhòng	n. proportion

重，造价可能很昂贵，充电的时间可能很长，这些都可能成为阻碍人们选择电动汽车的理由，所以，不排除长距离行车还用汽油或柴油，因此为了确保减少污染，燃料的使用效率必须提高，废气的排放必须减少。

长久以来，汽车作为人类重要的交通工具与我们相伴相随，人类也为此付出了巨大的代价。2050年，如果汽车还是我们生活中不可缺少的伴侣，它在我们的经济生活中还扮演支柱产业的角色，它必须是清洁的、安全的，它必须符合可持续发展的原则。

改编自《参考消息》同名文章

45.	昂贵	ángguì	adj. expensive
46.	阻碍	zǔ'ài	v. to hinder, to block, to impede
47.	排除	páichú	v. to exclude, to eliminate
48.	确保	quèbǎo	v. to ensure, to guarantee
49.	排放	páifàng	v. to discharge
50.	代价	dàijià	n. cost, price
51.	伴侣	bànlǚ	n. companion
52.	支柱	zhīzhù	n. pillar, mainstay

注释（一）综合注释

Notes **1** 动不动

表示很容易做出某种反应或行动，多用于不希望发生的事情。例如：

（1）他最近工作忙、压力大，动不动就着急、发脾气。

（2）作为一种将人解放出来的灵活的交通工具，动不动就要将其淘汰，似乎不是明智之举，根本出路还是要在清洁环保、规范驾车出行上下功夫。

（3）父母要多与孩子交流，不要动不动就呵斥压服，以"住嘴"来强行制止孩子发表意见。

● **练一练**：用"动不动"完成句子

（1）他身体很弱，＿＿＿＿＿＿＿＿＿＿＿＿＿＿＿＿。

（2）你的电脑该换了，＿＿＿＿＿＿＿＿＿＿＿＿＿，多耽误事啊。

（3）对孩子要耐心，＿＿＿＿＿＿＿＿＿＿＿＿＿＿＿＿。

2 甲乙丙丁……

① 用来对事物进行排序。例如：

（1）甲　更加清洁、安全

　　乙　能自动行驶

　　丙　融合数字生活方式

（2）甲乙丙丁四人的车分别为白色、银色、蓝色和红色。在问到他们各自车的颜色时，甲说："乙的车不是白色。"乙说："丙的车是红色的。"丙说："丁的车不是蓝色的。"丁说："甲、乙、丙三人中有一个人的车是红色的，而且只有这个人说的是实话。"假如丁说的是实话，那么以下说法正确的是：（　　）

　　A．甲的车是白色的，乙的车是银色的

　　B．乙的车是蓝色的，丙的车是红色的

　　C．丙的车是白色的，丁的车是蓝色的

　　D．丙的车是银色的，甲的车是红色的

② "甲、乙、丙、丁、戊、已、庚、辛、壬、癸"称作天干，"子、丑、寅、卯、辰、巳、午、未、申、酉、戌、亥"称作地支。天干地支简称"干支"。古人用天干的十个字和地支的十二个字按顺序配合，可配合成六十组，周而复始，循环使用，用以纪日、纪年，现在中国农历仍用干支来纪年。例如：

（1）2015年，农历乙未。

（2）甲午战争发生在1894年。

（3）甲申年来临之际，祝您健康幸福，心想事成。

● **练一练**：下列哪句中的"甲乙丙丁……"和上面讲的意思不同

（1）她姓甲，叫甲吉。

（2）他叫李甲申，肯定是1944年出生的，那一年是甲申年。

（3）这篇文章分为甲、乙、丙三部分，我最喜欢的是第三部分。

（二）词语辨析

■ 担保——保证

	担保		保证
共同点	表示负责，肯定不出问题或一定办到。		
	如：出不了事，我敢担保/保证。		

	担保	保证
不同点	1. 后边不能跟名词，只能跟动词或小句。	1. 后边可以跟名词，表示确保既定的要求和标准，不打折扣。
	如：① 我们要担保产品质量。（×）② 我敢担保，产品质量没有问题。（√）	如：我们要保证产品质量。
	2. 没有名词词性。	2. 名词，作为担保的事物。
		如：安定团结是我们取得胜利的保证。

● **做一做**：判断正误

❶ 他的能力很强，这件棘手的事交给他办，保证错不了。　　　（　　）

❷ 由于任务异常繁重，请给他们担保科研时间。　　　　　　　（　　）

❸ 反复练习和精益求精是取得成功的担保。　　　　　　　　　（　　）

❹ 他语气坚定地对将军说："保证圆满完成任务！"　　　　　　（　　）

（三）篇章修辞

■■ 篇章（2）词汇衔接

在说明、描述某一事物或场合时，某些词汇在语义上是有联系的，如下面的例（1）"重、昂贵、长"描写"电池"的重量、造价、充电时间超越了"适中"的程度。词汇衔接就是指语篇中出现的部分词汇相互之间存在的语义联系，这一联系对语篇连贯起着重要作用。例如：

（1）电动汽车也许能承受超远距离行驶，但电池可能很重，造价可能很昂贵，充电的时间可能很长。

（2）被引导车辆上的驾驶者可以工作，也可以休息，职业司机的工作效益也将大大提高。

（"工作""休息"这组反义词构成了一种语义上的联系。）

（3）我的房间靠近大海，宽敞明亮，有室内卫生间和淋浴设备，还有一个小阳台可以观赏窗外的大海。

（"卫生间""淋浴设备""小阳台"这些屋内设施共同构成了一种语义联系。）

● **练一练**：根据词汇语义上的联系，把下列6个小句组合成3个连贯的语段

    A.下了火车，我做的第一件事就是买一份当地的报纸，迫不及待地在路边翻看起来

    B.我们结婚十年了，大女儿七岁，小女儿四岁

    C.我一向对做家事十分痛恨，但对做菜却是十分有兴趣

    D.几只洋葱，几片肉，一把粉丝，一会儿就变出一个菜来，我很欣赏这种艺术

    E.翻着翻着，竟然发现满满一版的招聘启事，我高兴得眉飞色舞

    F.十年来我的一个突出感觉就是我的妻子从来不认错

    （1）   （2）   （3）

练习
Exercises

1 模仿例子，写出更多的词语

    例：担保：保证   保险   确保   准保

        指责：_____

        平坦：_____

        抵达：_____

        停泊：_____

2 用所给词语完成句子

    ❶ 因为恶劣的天气，机场_____。（滞留）

    ❷ 对于这个高精尖的专业，我_____。（大体）

    ❸ 看到她伤心欲绝的样子，我_____。（试图）

    ❹ 经过十几个小时的漫长飞行，_____。（抵达）

    ❺ 为了提高工作效率，公司_____。（配备）

    ❻ 演出前我们认真排练，_____。（力求）

3 选择合适的词语填空

> 保障　折磨　规范　堵塞　指责

❶ 　　谁出行时没遇到过交通_____呢？经常被堵车_____的你，是否也_____过日益糟糕的交通状况？其实，_____出行顺利通畅，除了加快道路建设以外，每位司机_____操作也是非常重要的。

> 石油　奔驰　事故　谋求　代价

❷ 　　汽车的出现，大大改变了我们的生活，一方面，高速_____的汽车拉近了我们的距离，提高了工作效率。可另一方面，人类也付出了巨大的_____，空气质量下降，_____资源日益减少，越来越多的人死于交通_____……因此，人类已开始_____更清洁、环保的能源。

4 根据词汇语义上的联系，给下列句子排列顺序

❶ A 是爸爸一手把我抚养大的
　 B 我很不忍心
　 C 我从小就没有了妈妈
　 D 又要离开他
　 E 好不容易等我长大了

_____

❷ A 你看那些在海边争食的鸟儿
　 B 而海鸥总显得非常笨拙
　 C 然而，真正能飞越大海的还是它们
　 D 当海浪打来的时候
　 E 它们从沙滩飞入天空总要很长时间
　 F 小灰雀总能迅速起飞
　 G 它们拍打两三下翅膀就升入了天空

_____

5 根据提示，简述课文主要内容

2050年的汽车是什么样子的？	清洁、安全	❶ 当前汽车的劣迹 ❷ 根本出路
	自动行驶	❶ 职业司机引导 ❷ 自动停泊入位
	融合数字生活方式	❶ 车企与搜索引擎公司合作 ❷ 创造虚拟个人助理
	燃料的使用	❶ 电动汽车的优缺点 ❷ 汽油、柴油车的使用

运用
Application

写一写

　　这篇课文给我们描述了2050年的汽车是什么样子的。2050年的汽车将会更加清洁、安全；实现自动行驶；融合数字生活方式，为汽车用户提供全方位服务；电动汽车的数量将会增加，汽油、柴油等燃料仍会继续使用，但使用效率将会提高。请参考练习5，把课文缩写成350字左右的短文。

_____

_____

_____

_____

_____

扩展
Expansion ■ 词汇

（1）熟悉下列反义词

苏醒 ——— 昏迷		歧视 ——— 尊敬	
粗鲁 ——— 文雅		机智 ——— 愚笨	
野蛮 ——— 文明		啰唆 ——— 简洁	
丰满 ——— 枯瘦		固执 ——— 随和	

（2）熟悉下列词语搭配

剥削	剥削阶级	剥削阶级利用他们占有的生产资料剥削其他阶级的劳动。
格局	打破格局	经济迅速发展，不断打破旧格局，形成新格局。
掠夺	掠夺资源	他们在该地区大肆掠夺资源，造成当地人民生活困苦。
提拔	提拔干部	提拔干部之前一定要经过严格的考察。
调解	调解矛盾	这是一家专门帮人调解矛盾和纠纷的机构。
侮辱	侮辱人格	这种侮辱他人人格的做法是极不道德的。
谣言	传播谣言	请不要到处传播这种没有事实根据的谣言。
征收	征收税款	国家对公民征收个人所得税，公民应该依法纳税。

大数据时代
The big data era

现在我们已经进入了一个大数据时代，日常生活中，处处都有数据记录，比如：吃饭、运动、心跳、血压、购物等，除了上述几方面，请想一想，还有哪些数据与我们的生活关系密切？

大数据与我

2 想一想下列词语之间有什么联系。

盲	科盲、文盲、色盲、法盲、股盲、电脑盲、扫盲
航	航线、航程、航空、航天、航海、航道、航班、航向、出航、导航、领航、夜航
票	彩票、门票、车票、邮票、船票、电影票、戏票、月票、免票、售票、开票、退票
量	海量、大量、少量、数量、重量、产量、含量、能量、热量、音量、雨量、定量

课文
Text

大数据时代 （1061字） 🔊 23-1

什么是大数据？枯燥的名词解释会让"科盲"们更加摸不着头脑，有学者以通俗的例子这样告诉我们，"每个人乘飞机时，都是自己选择航线，这是人的智慧，当人们的选择结果反映到具体的航程中来，就会有大量的数据被记录下来。我们根据这些原始的、堆积如山的记录梳理出的航程设计方案，将是最卓越的。这就是大数据的方法。"

大数据有什么用？举例来说，百度在2014年世界杯期间准确预测德国夺冠，就是大数据的功劳。百度的做法是：派遣数据专家全面搜索5年来全世界987支球队3.7万场比赛的数据，并与彩票中心等占有大量数据的相关机构建立战略合作伙伴关系，将各类数据融入预测模型中。这一海量数据库共计涉及19972名球员和1.12亿条相关数据。之后，百度对2006年和2010年世界杯的淘汰赛进行了结果验证，准确率接近75%，这一结果令大数据研究者万分振奋。

那么，大数据如何连接未来？我们不妨以大数据与健康为例加以说明。人们公认"医疗"和"健康"分属两个完全不同的领域，有了大数据，它们不仅相通相融，还有可能彻底扭转先前陈旧而被动的有病治病方式，改为积极防治，其

生词 🔊 23-2

1. 通俗　　tōngsú　adj. popular, ordinary

2. 堆积　　duījī　v. to pile up

3. 卓越　　zhuóyuè
adj. outstanding, remarkable, brilliant

*4. 预测　　yùcè　v. to predict

5. 功劳　　gōngláo
n. credit, meritorious service (deed), contribution

6. 派遣　　pàiqiǎn
v. to send sb. on mission, to dispatch

7. 战略　　zhànlüè　n. strategy

8. 模型　　móxíng　n. model

9. 共计　　gòngjì　v. to add up to

10. 验证　　yànzhèng
v. to test and verify

11. 万分　　wànfēn
adv. very much, extremely

12. 振奋　　zhènfèn
adj. inspiring, exciting

13. 公认　　gōngrèn
v. to generally acknowledge

14. 扭转　　niǔzhuǎn
v. to reverse, to twist

15. 先前　　xiānqián　n. previously, before

16. 陈旧　　chénjiù
adj. outmoded, obsolete

17. 被动　　bèidòng　adj. passive

18. 防治　　fángzhì
v. to prevent and cure

至把疾病消灭在萌芽状态中的想法也不显得荒谬了。

做进一步讨论之前，有一个前提必须交代清楚：每一次疾病的发生都不是偶然的，追究原因，无非是基因、遗传、环境、生活习惯等。虽非偶然，却无法预料，因此，传统医疗只能帮你治病。如果能找出病因呢？消除隐患就成为了可能，"健康大数据"就是要做这件事。比如心脏病，病人发病常常是有预兆的，如果对患者的心跳数据有足够长时间的持续积累，就可能预测病人发病的时机；对于心脏病突发致死的案例，如果能提前24小时监测到零星先兆，甚至可以挽救患者的生命。

利用大数据对一个病种进行细致的监测，意义是不言而喻的。中国血压有问题的人不在少数，其中高血压患者有1亿人，潜在患者还有1亿人，如果这2亿人都能通过"高血压手表"或者什么先进器材进行监测，对他们的健康进行人为管理，将会是非常有前景的尝试。

19.	消灭	xiāomiè
		v. to eliminate, to eradicate
20.	萌芽	méngyá v. to sprout
21.	荒谬	huāngmiù
		adj. preposterous, ridiculous
22.	前提	qiántí n. precondition
23.	交代	jiāodài v. to explain
24.	追究	zhuījiū
		v. to investigate, to look into
25.	基因	jīyīn n. gene
26.	遗传	yíchuán v. to inherit
27.	预料	yùliào
		v. to expect, to anticipate, to predict
28.	消除	xiāochú
		v. to eliminate, to remove
29.	隐患	yǐnhuàn
		n. hidden trouble, hidden danger
30.	预兆	yùzhào n. sign, omen
31.	案例	ànlì n. case
32.	零星	língxīng adj. scattered
33.	挽救	wǎnjiù v. to save, to rescue
34.	细致	xìzhì
		adj. meticulous, careful
35.	不言而喻	bùyán'éryù
		to be self-evident, to be comprehended without being told, it goes without saying that...
36.	血压	xuèyā
		n. blood pressure (BP)
37.	先进	xiānjìn
		adj. advanced, cutting-edge
38.	器材	qìcái n. equipment
39.	人为	rénwéi
		adj. artificial, man-made
40.	前景	qiánjǐng
		n. prospect, outlook

在未来医疗模式中，临床会尽量减少对人的依赖，因为医生是切切实实的稀缺资源，大数据的优越之处就在于，能够大大提高医生的工作效率，将医生的能量发挥到最大。因为大数据的健康维护不是得了病之后再采集数据，而是平时就在一些特殊设备的协助下，把人所有的生理数据攒起来，对其进行分析处理后，发给医生，远程医疗服务将会变得可行而且优质。实事求是地讲，即便仅仅做到这一点，大数据为人类做出的贡献也远远超出了我们的期盼。

展望未来，大数据将会走进我们生活的各个领域，有人这样定位大数据时代的意义："拥有知识曾意味着掌握过去，现在它更意味着预测未来。"

41. 临床　　línchuáng　v. clinical
42. 依赖　　yīlài　v. to depend on
43. 切切实实　qièqiè shíshí
　　　　　　real
　　切实　　qièshí
　　　　　　adj. practical, feasible
44. 优越　　yōuyuè　adj. superior
45. 维护　　wéihù　v. to maintain
46. 协助　　xiézhù　v. to assist
47. 生理　　shēnglǐ
　　　　　　n. physiology
48. 攒　　　zǎn
　　　　　　v. to save, to accumulate,
　　　　　　to gather
49. 可行　　kěxíng
　　　　　　adj. feasible, workable,
　　　　　　practicable
50. 实事求是　shíshì-qiúshì
　　　　　　to seek truth from facts
51. 展望　　zhǎnwàng
　　　　　　v. to forecast, to look into
　　　　　　the distance

注释（一）综合注释
Notes 1 加以

"加以"，动词，表示对待或处理前面所提事物的态度和方法。"加以"后面必带双音节动词宾语，"加以"是个形式动词，真正表示动作的是后面的动词。例如：

（1）对于你的意见和建议，我们会认真加以研究。

（2）大数据如何连接未来？我们不妨以大数据与健康为例加以说明。

（3）学校为我们提供了这么好的图书馆和自习室，我们应该好好加以利用。

● **练一练**：用"加以"完成句子

（1）下面这些句子都有问题，请＿＿＿＿＿＿＿＿＿＿＿＿＿＿＿＿。

（2）为什么男生没有学习健美操的兴趣？应采取什么措施＿＿＿＿＿＿＿

＿＿＿＿＿＿＿＿＿＿＿＿＿＿＿＿＿＿＿＿＿。

（3）现在人们的读书生活更加多元化，大家都根据自身不同的需求

＿＿＿＿＿＿＿＿＿＿＿＿＿＿，使读书进入真正的理性时代。

2　大大、远远

"大大"和"远远"都是副词，它们是单音节形容词"大"和"远"的重叠形式。"大大"表示程度很深或数量很大，多修饰双音节动词、动词短语，多用于书面语。"远远"重叠后基本意思不变。"大大、远远"后都可以加"地"。例如：

（1）大数据的优越之处就在于，能够大大（地）提高医生的工作效率，将医生的能量发挥到最大。

（2）实事求是地讲，即便仅仅做到这一点，大数据为人类做出的贡献也远远（地）超出了我们的期盼。

（3）你现在的任务就是认真读书，因为你现在的知识、能力都远远不能胜任你理想中的工作。

● **练一练**：用"大大"或者"远远"完成句子

（1）散步时，身体挺直，胳膊自由摆动，能使肺的换气量＿＿＿＿＿＿＿

＿＿＿＿＿＿＿＿＿＿＿＿＿＿＿＿＿＿＿＿＿＿＿。

（2）我们之间的共同点＿＿＿＿＿＿＿＿＿＿＿＿＿＿＿分歧，我相信我们这次合作一定能够成功。

（3）随着经济的发展，来往物资的运输量＿＿＿＿＿＿＿＿＿＿＿＿，这条道路原有的运输能力已＿＿＿＿＿＿＿＿＿＿＿满足需求。

（二）词语辨析

■ 万分——十分

	万分	十分
共同点	都表示程度深，"非常"的意思。	
	如：听到这个消息，大家感到万分/十分惊讶。	
不同点	1. "万分"只能修饰表示心理状态的形容词或动词。	1. "十分"没有这样的限制。
	如：①心情万分悲痛。（✓） ②天气万分寒冷。（×）	如：①心情十分悲痛。（✓） ②天气十分寒冷。（✓）
	2. "万分"表示的程度比"十分"更深。	
	如："对你的帮助我万分感激"与"对你的帮助我十分感激"相比，前者所表达的程度更深。	

● 做一做：判断正误

① 把你这么珍贵的结婚纪念物弄丢了，我十分过意不去。　　　　　（　　）

② 听到老板点到自己的名字，他万分紧张地看了我一眼。　　　　　（　　）

③ 这里的风景万分优美，令人流连忘返。　　　　　　　　　　　　（　　）

④ 远古时代，人与自然的关系万分和谐。　　　　　　　　　（　　）

（三）篇章修辞

■ 修辞（1）仿词

　　仿词是一种修辞手法，即根据表达的需要，替换现成词语中的一部分，临时仿造出一个新词。例如：

（1）枯燥的名词解释会让"科盲"们更加摸不着头脑。

　　（"科盲"即模仿"文盲"临时创造出来的词汇。）

（2）十一月，广州还是秋高气爽，北国名城哈尔滨早已"草木皆冰"了。

（3）李安失业在家六年，天天扮演"家庭妇男"的角色，但他的心仍然属于导演，以至于后来拍出的电影个个惊人。

● 练一练：指出下列哪句没有使用仿词修辞手法

（1）如果你想过幸福的生活，就必须有安排好生活的智慧。

（2）我不知道上了多少级台阶，一级又一级，是乐趣也是苦趣，好像我出生以来就在登山似的，一直走到筋疲力尽，才算走到了山顶。

（3）正如"水感"特好的人有可能成为世界级游泳运动员一样，让有"球感"的人去打球踢球，有"生意感"的人去担任厂长经理，有"新闻感"的人去当记者，"群众感"特强的人当干部，这于本人于国家于事业都大有好处。

练习 **1** 模仿例子，写出更多的词语
Exercises

例：血压：<u>气压　　　电压　　　高压　　　低压</u>

卓越：_____

消灭：_____

前景：_____

维护：_____

2 用所给词语改写句子

❶ 近期，我国政府将派代表团出访欧洲。　　　　　　　　　　（派遣）

_____。

❷ 几项支出合起来一共是三千万元。　　　　　　　　　　　　（共计）

_____。

❸ 在我们这家跨国公司里，大家一致认为他非常敬业。　　　　（公认）

_____。

❹ 以前我和他在一个单位共事，后来他跳槽走了。　　　　　　（先前）

_____。

❺ 他为学校做出的贡献不用说，大家心里都清楚。　　　　　（不言而喻）

_____。

❻ 成年以后要独立生活，不能再依靠父母了。　　　　　　　　（依赖）

_____。

3 选择合适的词语填空

萌芽　　挽救　　被动　　振奋　　隐患

❶　　今天我在报纸上看到一则令人_____的消息。有关科学家经研究发现，对病人进行持续跟踪监测，可以预测病人发病的时机，消除疾病_____，_____患者生命。这就可以变_____为主动，把疾病消灭在_____状态。

切实　　卓越　　扭转　　协助　　战略

❷　　该公司之所以取得如此_____的成就，最重要的是与相关机构建立了_____合作伙伴关系，_____了过去单打独斗的局面，在各方面人才的_____下，制定_____可行的方案。

4 找出下列语段中的仿词

语段	仿词
❶ 有些天天喊大众化的人，连三句老百姓的话都讲不来，可见他就没有下过决心跟老百姓学，其实他的意思仍是小众化。	
❷ 自从有了酒吧以后，各种"吧"都冒出来了，什么水吧、氧吧、网吧、陶吧等。	
❸ 这种产品一个月也没卖出去一件，别的产品都在热销，我看这是在冷销。	

5 根据提示，简述课文主要内容

什么是大数据？	以通俗的例子……
大数据有什么用？	百度预测世界杯冠军的做法

大数据如何连接未来？	❶ 让"医疗"和"健康"相通相融 ❷ 消除疾病隐患 ❸ 对病种进行细致的监测 ❹ 临床减少对人的依赖
大数据时代有何意义？	预测未来

运用
Application　■ 写一写

　　这篇课文以具体的例子给我们介绍了大数据时代。什么是大数据？大数据有什么用？大数据如何连接未来？大数据时代有何意义？本文都给出了答案。请参考练习5，把课文缩写成350字左右的短文。

_____

_____

_____

扩展
Expansion　■ 词汇：熟悉下列近义词

货币 ——— 钱	巴结 ——— 讨好
注射 ——— 打针	复兴 ——— 兴盛
倔强 ——— 顽固	机动 ——— 灵活
仁慈 ——— 善良	检讨 ——— 检查
愚昧 ——— 愚笨	间谍 ——— 特工
补偿 ——— 偿还	本人 ——— 自己
光荣 ——— 骄傲	变质 ——— 腐烂
殴打 ——— 揍	哆嗦 ——— 发抖

24 体育明星们的离奇遭遇
Sports stars' strange experiences

请对照图片熟悉下列名称，并想一想哪些可能给人类带来意外伤害。

猫头鹰（māotóuyīng）

高尔夫（gāo'ěrfū）

警示牌（jǐngshì pái）

熨衣板（yùn yī bǎn）

黄牌（huángpái）

电钻（diàn zuàn）

2 想一想下列词语之间有什么联系。

牌	奖牌、金牌、银牌、铜牌、车牌、门牌、号牌、路牌、警示牌、黄牌、登机牌、牌子
奋	奋力、奋斗、奋发、奋进、奋起、奋勇、奋战、发奋、兴奋、勤奋、奋不顾身
门	门将、门卫、球门、柜门、射门、守门、油门
头	头条、头版、头等、头号、头名、头天、头一个、从头、起头、排头

课文 Text

体育明星们的离奇遭遇 （1043字） 🔊 24-1

　　每次看到我们崇拜的体育明星在赛场上冲击奖牌，大家都深信，他们身上的每一处伤疤都是奋力拼搏的标记。可是你知道吗，明星们受伤，有时竟也荒谬得不可思议。

　　曾经有一名足球门将正在比赛中聚精会神地防守，突然，一只狗以火箭般的速度冲了进来，横着冲向他的膝盖，然后向他发起进攻。人们惊呆了，这是阴谋，还是离奇的巧合？门将当场倒地，身受重伤，经久不愈，最后竟因此告别了他心爱的职业。

　　南美①足球赛场上的猫头鹰事件，赛后成了头条新闻。事情是这样的，球赛进行得正激烈时，一只很可能是因受伤而"迫降"球场的猫头鹰遮挡住了球员的视线，主裁判出于保护动物的目的，决定中断比赛，可是一名球员已经刹不住车，一只大脚踢向了毫无防御的猫头鹰。可怜的猫头鹰，抢救两天后不治身亡。没想到一场道德讨论就此开始：有人认为想赢球也不能置猫头鹰的生命于不顾，这种只想赢球的心态和比赛精神南辕北辙。一时间，只注重胜负，却将猫头鹰残酷"射杀"致死的行为是否应该被原谅，引起了广泛的争议。人们

生词 🔊 24-2

*1. 离奇　　líqí　adj. weird, bizarre, odd
2. 崇拜　　chóngbài　v. to adore, to admire
3. 冲击　　chōngjī　v. to challenge, to go for
4. 拼搏　　pīnbó　v. to struggle, to combat
5. 聚精会神　jùjīng-huìshén
　　to concentrate one's attention (and energy) on
6. 防守　　fángshǒu　v. to defend
7. 火箭　　huǒjiàn　n. rocket
8. 横　　héng　adj. sidewards
9. 进攻　　jìngōng　v. to attack
10. 阴谋　　yīnmóu　n. plot, conspiracy
11. 当场　　dāngchǎng
　　adv. on the spot, then and there
12. 事件　　shìjiàn　n. event, incident
13. 遮挡　　zhēdǎng
　　v. to shelter from, to keep out
14. 裁判　　cáipàn　n. referee
15. 中断　　zhōngduàn　v. to interrupt
16. 刹车　　shā chē　v. to brake, to stop
17. 防御　　fángyù　v. to defend
18. 心态　　xīntài　n. attitude, mental state
19. 南辕北辙　nányuán-běizhé
　　to go south by driving the chariot north—to act in a way that defeats one's purpose
20. 注重　　zhùzhòng
　　v. to lay stress on, to pay attention to
21. 胜负　　shèngfù
　　n. victory or defeat, success or failure
22. 残酷　　cánkù　adj. cruel, brutal
23. 争议　　zhēngyì　v. to dispute

---

① 南美：即南美洲，南亚美利加洲的简称，位于西半球南部，东面是大西洋，西面是太平洋。陆地以巴拿马运河为界与北美洲相分，南面隔海与南极洲相望。总面积1797万平方公里，占世界陆地总面积的12%。

结结实实地打了一场嘴仗，动物保护组织甚至要和球员打官司；一些球迷认为猫头鹰是球场的守护神，甚至谴责球员就是凶手；被称为"凶手"的球员一定在心中大呼冤枉，但他还是为自己的行为诚恳道歉，道歉之余却也没忘了为自己辩解——他不是成心的。

明星们遭受的伤害有时出人意料。因赛事频繁，航空旅行成了运动员的家常便饭。你相信吗？登机牌也可能成为凶器。曾有运动员在机场被登机牌击中眼睛，并因此错过部分比赛。

我们每个人都有过粗心大意的时候，令人悲哀的是，这也可能成为被伤害的原因。一次赛前热身，主办方特意做了警示牌，警告运动员不要在球门里训练，有位运动员一时疏忽正好踩在了警示牌上，由于重心不稳，以致扭伤了脚；还有位同样疏忽的运动员，在折叠熨衣板时肩膀受伤；某国国脚有一次不仅磕破了嘴唇，还磕掉了门牙，当时他仅仅是想从汽车里拽出高尔夫球具。

汉语有个词叫乐极生悲，说的就应该是下面这位球员：在打进一球后，他冲入观众席和球迷一起庆祝，结果结婚戒指连同他的手指一起挂在了围栏上，手指受重伤。更让他恼火的是，不了解情况的主裁判还给了他一张黄牌，真可谓雪上加霜！

24. 打仗	dǎ zhàng	v. to fight a battle
25. 打官司	dǎ guānsi	to litigate, to go to law
26. 守护	shǒuhù	v. to guard, to watch
27. 谴责	qiǎnzé	v. to blame, to condemn, to denounce
28. 凶手	xiōngshǒu	n. murderer
29. 冤枉	yuānwang	v. to wrong sb. (with false charges, etc.), to treat unjustly
30. 辩解	biànjiě	v. to justify, to try to defend oneself
31. 成心	chéngxīn	adv. intentionally, on purpose
32. 意料	yìliào	v. to expect
33. 频繁	pínfán	adj. frequently, often
34. 航空	hángkōng	v. aviation
35. 大意	dàyi	adj. careless
36. 悲哀	bēi'āi	adj. sad, sorrowful
37. 主办	zhǔbàn	v. to host, to sponsor
38. 特意	tèyì	adv. for a special purpose, specially
39. 警告	jǐnggào	v. to warn
40. 疏忽	shūhu	v. to neglect, to overlook
41. 重心	zhòngxīn	n. center of gravity
42. 熨	yùn	v. to iron
43. 磕	kē	v. to knock, to hit
44. 嘴唇	zuǐchún	n. lip
45. 拽	zhuài	v. to drag, to pull
*46. 乐极生悲	lèjí-shēngbēi	extreme joy begets sorrow, after joy comes sadness
47. 恼火	nǎohuǒ	adj. annoyed, irritated
48. 雪上加霜	xuěshàng-jiāshuāng	snow plus frost—one disaster after another, to add to the misfortunes of one who is already unfortunate

最荒唐的受伤当属某国国脚。他的脚指甲旁边长了个血泡，他决定自己处置。各种工具他都看不上，最后选中的竟然是电钻，由于用力过猛，把脚弄破了，以致感染，遭受了难以想象的痛苦。看来医生也不是谁想当就能当的，虽然在真正的医生眼里这只是个微不足道的小手术。

其实离奇伤害不仅存在于运动员当中，它也紧紧跟随着我们每一个人，只要你疏忽、大意。

49. 荒唐	huāngtáng	adj. absurd, ridiculous
50. 指甲	zhǐjia	n. fingernail
51. 处置	chǔzhì	v. to handle, to manage, to deal with
* 52. 电钻	diàn zuàn	electric drill
53. 遭受	zāoshòu	v. to suffer, to undergo
54. 微不足道	wēibùzúdào	insignificant, negligible

改编自《北京晚报》文章《体育明星们的"离奇伤害"》

注释（一）综合注释

Notes **1** 紧缩句

紧缩句是用单句的形式表达复句的内容。紧缩句看起来像单句，实际上是复句，只是已经取消了一般复句间的语音停顿、关联词语甚至某些成分。例如：

（1）想赢球也不能置猫头鹰的生命于不顾。

（即使想赢球，也不能置猫头鹰的生命于不顾。）

（2）她一回来我就告诉你。

（只要她一回来，我就告诉你。）

（3）站住！不站住就开枪了。

（站住！你要是不站住，我就开枪了。）

● **练一练**：将下列复句改为紧缩句

（1）即使得罪她，咱也不怕。＿＿＿＿＿＿＿＿＿＿＿＿＿＿＿＿

（2）就算你不说，我也能知道。＿＿＿＿＿＿＿＿＿＿＿＿＿＿＿

（3）如果你不喜欢，咱们就不买。＿＿＿＿＿＿＿＿＿＿＿＿＿＿

2 特意

"特意"，副词，表示专门为了某一件事。例如：

（1）一次赛前热身，主办方特意做了警示牌，警告运动员不要在球门里训练。

（2）那一年我出差去天津，特意绕道北京，去了趟圆明园。

（3）城市生活的忙乱、嘈杂使人们渴望安静，因此地处边城的我的故乡就成了人们特意要来的旅游胜地了。

● **练一练**：根据提示用"特意"完成句子

（1）为了完成这次采访，_____。（查阅）

（2）在动笔写这本书之前，_____。（调查）

（3）这是 _____，知道你换了地方睡不好觉。（准备）

（二）词语辨析

特意——故意

	特意	故意
共同点	都有"有意地做……"的意思，都能做副词，用在动词或动词短语前。	
	如：他特意/故意把礼物放在一个明显的位置，以便我一眼就能看见。	
不同点	1.一般是花心思努力做好某件事情，往往对他人/事情产生积极的影响。	1.明知不应该/不必这样做还这样做，常含贬义。
	如：①他特意从上海来到北京参加这次会议。 ②为了写好论文，他特意拜访了那位有名的学者。	如：①小明故意把椅子撞倒了。 ②他故意借钱不还。
	2.没有右边这个用法。	2.除了做副词外，还可以做名词（一般用于法律方面）。
		如：他存在伤害对方的故意。

- **做－做**：判断正误

①对不起，我不是故意弄坏你的手表的。 （   ）

②你看见红灯亮了还不停，是特意的吧！ （   ）

③虽然造成了死伤5人的后果，但他并没有主观上的特意。 （   ）

④他故意为大家准备了丰盛的午餐，我们非常感动。 （   ）

（三）篇章修辞

■■ 修辞（2）比拟

比拟是一种修辞手法，即根据想象把物当成人写，或把人当成物写，或把甲物当成乙物来写。例如：

（1）雨停了，天晴了，太阳露出了笑脸。

（"太阳"被比拟成人，具有和人一样的思想情感、动作情态。）

（2）这帮人就是欺软怕硬，你老实，他们就欺负你；你厉害，他们就夹着尾巴跑。

（3）球赛进行得正激烈时，一只很可能是因受伤而"迫降"球场的猫头鹰遮挡住了球员的视线。

- **练－练**：指出下列哪句没有使用比拟修辞手法

（1）他故事讲得生动，孩子们竖起耳朵听得认真。

（2）啄木鸟在给树治病。

（3）太阳照进了窗子，亮得有些晃眼。

练习 **1** 模仿例子，写出更多的词语

Exercises

例：进攻：<u>攻击</u>　　<u>攻克</u>　　<u>攻打</u>　　<u>攻占</u>

遮挡：_____

中断：_____

注重：_____

辩解：_____

2 用所给词语完成句子

① 在这位知名教授的课堂上，大家_____

_____。（聚精会神）

② 昨天那儿发生了一起严重的交通事故，_____

_____。（当场）

③ 这所远近闻名的学校非常_____。（注重）

④ 听说那个孩子常被养父母虐待，大家都纷纷_____

_____。（谴责）

⑤ 在这个以精细著称的行业中，_____。（大意）

⑥ 听说我马上要回国，妈妈_____。（特意）

3 选择合适的词语填空

胜负　　心态　　崇拜　　拼搏　　冲击

① 　　我们之所以_____体育明星，是因为他们是奋力_____的象
征。比赛并不只注重_____，我们更看重的是运动员们在_____
奖牌时表现出来的永不放弃的精神和良好的_____。

谴责　　凶手　　成心　　官司　　疏忽

② 　　顾客在商场购物意外身亡，_____竟然是我们常见的自动扶
梯！这一事件引起了广泛的关注。大家一致_____电梯生产厂家粗
制滥造，而商场也难逃责任，虽然不是_____的，但因为工作人员
的_____而造成一人死亡的后果，他们肯定要面临一场_____。

4 请说出下列句子是如何运用比拟的

例句	把……比作……
① 这时，春风送来扑鼻的花香，满天的星星都在眨眼欢笑。	
② 不负责任、马虎大意的工作作风必须休息。	

例句	把……比作……
❸ 我到了自家的房外，我的母亲已经迎着出来了，接着便飞出了八岁的小女儿。	
❹ 花儿羞答答地垂下头来。	

5 根据提示，简述课文主要内容

动物造成的伤害	❶ 狗造成的伤害 ❷ 猫头鹰事件
出人意料的伤害	登机牌造成的伤害
粗心大意造成的伤害	❶ 警示牌 ❷ 熨衣板 ❸ 高尔夫球具
乐极生悲造成的伤害	戒指挂在围栏上
最荒唐的意外伤害	用电钻处置血泡

运用
Application　■ 写一写

　　这篇课文给我们讲述了体育明星们遇到的各种离奇遭遇，他们的意外受伤有动物造成的、有粗心大意造成的、有乐极生悲造成的……你在运动中是否也遇到过意外受伤呢？比如：摔伤、扭伤、踢伤、拉伤、撞伤等，或者你听说过像课文中所说的那些离奇的意外受伤吗？请以"运动中的意外受伤"为题写一篇文章，字数不少于400字。

_____

_____

_____

_____

扩展
Expansion ■ 词汇：熟悉下列词语搭配

词汇	搭配	例句
发射 导弹	发射导弹	为了震慑敌人，他们发射了一枚导弹。
伪造 条款	伪造条款	由于伪造合同条款，他被判入狱十年。
纠纷	解决纠纷	这个机构是为解决邻里之间的纠纷而设立的。
申报	申报课题	针对这项研究，他申报了国家课题。
专利	申请专利	他的这项发明已申请专利。
转让	转让商铺/饭馆	由于经营不善，他被迫转让了自己的饭馆。
领土	保卫领土	军人的使命就是保卫国家领土，寸土不让。
宣誓	宣誓就职	新当选的总统今天宣誓就职了。
冻结	冻结财产	最近这家公司正在接受调查，因此公司财产都被冻结了。
司法 诉讼	司法诉讼	这个案件已进入司法诉讼阶段。
主义 人道	人道主义	这次国际救援体现了人类最崇高的人道主义精神。
种族	种族主义	虽然现代文明的光芒已经照遍全球，但我们仍要警惕种族主义的抬头。
财政 赤字	财政赤字	管理不善导致地方政府出现了财政赤字。
周转	资金周转	大量商品滞销致使该公司资金周转不灵。
流通	商品流通	一旦商品进入流通领域，就主要看消费者的消费意愿了。

经典阅读
Reading the classics

Unit 7

25 草船借箭
Borrowing arrows with thatched boats

看下列物品的图片及名称，请问哪些物品是在古代战争中使用的？有什么作用？

弓箭（gōngjiàn）　矛（máo）　战旗（zhànqí）　二胡（èrhú）

鼓（gǔ）　盾（dùn）　鼎（dǐng）　琵琶（pípa）

2 想一想下列词语之间有什么联系。

战	战争、战场、战车、战斗、战鼓、战火、战胜、战败、战士、作战、奋战、观战、开战、内战
赶	赶造、赶场、赶路、赶紧、赶快、赶忙、赶早、赶火车、赶飞机、赶作业、赶任务
听	听见、听话、听讲、听说、听力、听写、好听、动听、难听、探听、旁听、收听、偷听
意	意图、意向、意愿、意志、得意、乐意、满意、情意、任意、如意、失意、特意、无意、愿意

课文 Text

草船借箭（1141字） 🎧 25-1

三国①时期，东吴大将周瑜觉得自己很有才，却总比不过诸葛亮，心里一直不服气。一天，周瑜请来了诸葛亮，说："我们就要跟曹操的军队打仗了。水上作战，用什么武器最好？"诸葛亮说："弓箭。"周瑜说："这话不假。可现在我们缺箭，当务之急是赶造十万支箭，造箭的事就由您承办吧。"诸葛亮说："您委托的事，当然要办好。箭什么时候用？"周瑜说："即将交战，十天怎么样？"诸葛亮说："时间紧迫，三天也行。"周瑜说："这是公务，可不能开玩笑。"诸葛亮说："三天造不好箭，愿受惩罚。"周瑜很高兴，设宴款待诸葛亮。诸葛亮临走时叮嘱周瑜："三天以后，请派人到江边来搬箭。"

鲁肃对周瑜说："十万支箭，三天怎么造得成？诸葛亮不会说话不算数吧？"周瑜说："我又没有逼迫他，是他自己说的。我得吩咐下属，造箭用的材料，不要给他准备齐全，也不能供应充足，故意给他拖延时间。到期限造不出箭，他就活该受罚了。你去探听探听，他是怎么打算的，回来向我汇报。"

生词 🎧 25-2

1. 服气　fúqì　v. to be convinced
2. 军队　jūnduì　n. army, troops
3. 武器　wǔqì　n. weapon, arms
4. 当务之急　dāngwùzhījí　top priority
5. 承办　chéngbàn　v. to undertake
6. 委托　wěituō　v. to entrust, to authorize
7. 即将　jíjiāng
   adv. to be about to, to be on the point of; soon
8. 紧迫　jǐnpò　adj. urgent, immediate
9. 公务　gōngwù
   n. public affairs, official business
10. 款待　kuǎndài
    v. to treat cordially, to entertain with courtesy and warmth
11. 叮嘱　dīngzhǔ
    v. to urge again and again, to repeatedly advise
12. 算数　suàn shù
    v. to count, to hold, to stand
13. 逼迫　bīpò
    v. to force, to compel, to coerce
14. 吩咐　fēnfù　v. to instruct, to order
15. 下属　xiàshǔ　n. subordinate
16. 充足　chōngzú　adj. sufficient, adequate
17. 拖延　tuōyán　v. to delay, to put off
18. 期限　qīxiàn　n. deadline
19. 活该　huógāi
    v. to deserve, to serve sb. right
*20. 探听　tàntīng
    v. to make inquiries, to snoop
21. 汇报　huìbào
    v. to report, to give an account of

---

① 三国：公元220年～280年，是上承东汉下启西晋的一段历史时期，曹魏、蜀汉、东吴三个政权并立。赤壁之战时，曹操被孙刘联军击败，奠定了三国鼎立的雏形。草船借箭是《三国演义》中的一部分，发生在赤壁之战期间。在《三国演义》中，身为东吴大将的周瑜嫉妒前来联合抗曹的刘备军军师诸葛亮。

鲁肃去探望诸葛亮，见面寒暄过后，诸葛亮说："三天，要十万支箭，你得帮帮我。"鲁肃说："你不要为难我，我怎么帮得了你？"诸葛亮说："你借给我二十条船，每条船上要三十名士兵。船用黑布遮挡严密，再把草捆成捆儿，共要一千个，排在船的侧面，我有用。不过这是机密，你得替我保密，不要走漏消息，否则我性命难保。"

鲁肃答应了，回来报告周瑜，果然没提借船的事，只说造箭的材料诸葛亮都不用。周瑜沉思良久，猜不出诸葛亮的意图，只好等着。

鲁肃私自弄来二十条快船，按诸葛亮说的安排妥当。头两天，诸葛亮那儿毫无动静，第三天过了午夜，诸葛亮把鲁肃请到船上，说："和我一起去取箭。"之后吩咐用绳索把船连在一起，朝曹操占领的北岸开去。

此时，大雾封锁了江面，不远处什么都看不清，船悄悄地靠近了曹操的驻扎地。士兵在诸葛亮指定的地点，将船头朝西，船尾朝东，一字摆开。船上的士兵奋力敲鼓，齐声高喊，声音能多响亮就多响亮。鲁肃吃惊地说："曹兵出来怎么办？"诸葛亮笑答："雾这么大，曹

22. 探望	tànwàng v. to visit, to pay a visit to, to call on
23. 寒暄	hánxuān v. to exchange conventional greetings
24. 为难	wéinán v. to embarrass, to make things difficult for
25. 严密	yánmì adj. tight, close
26. 侧面	cèmiàn n. side
27. 机密	jīmì n. confidential, secret
28. 保密	bǎo mì v. to maintain secrecy, to keep sth. secret
29. 走漏	zǒulòu v. to leak out, to divulge
30. 沉思	chénsī v. to ponder, to meditate, to be lost in thought
31. 意图	yìtú n. intention, purpose
32. 私自	sīzì adv. privately, personally
33. 妥当	tuǒdàng adj. appropriately, properly
34. 占领	zhànlǐng v. to occupy, to conquer
35. 封锁	fēngsuǒ v. to block, to seal off
36. 驻扎	zhùzhā v. to be stationed, to be quartered
37. 指定	zhǐdìng v. to appoint, to assign
38. 响亮	xiǎngliàng adj. loud and clear, resounding

操不敢派兵出来。"鲁肃跟诸葛亮来到船上,看到舱中已摆下酒菜,只得心神不定地与诸葛亮饮酒。

曹操听到鼓声和叫喊声响成一片,嘱咐下属:"江上大雾茫茫,我们弄不清情况,不要轻易出兵。"于是,调动了上万名弓箭手一齐朝传来鼓声的方位放箭,箭像雨点一样落在船上。一会儿,诸葛亮下令把船掉过来,船头朝东,船尾朝西。士兵们情绪高涨,依旧敲鼓高喊,逼近曹军去受箭。

草船借箭

凌晨,雾还笼罩着江面,船两边的草捆儿上插满了箭。诸葛亮命令士兵启程返航。曹操知道上当了,可诸葛亮的船已经走远了。

二十条船靠岸的时候,周瑜派来搬箭的人也到了。大致算了算,船上的箭共有十万多支,诸葛亮圆满完成了任务。

鲁肃见了周瑜,告诉他借箭的经过。周瑜叹着气说:"唉,他真是天才,确实比我高明!"

39.	舱	cāng	n. cabin
40.	嘱咐	zhǔfù	
		v. to instruct, to order	
41.	茫茫	mángmáng	
		adj. boundless and indistinct, vast	
42.	调动	diàodòng	
		v. to mobilize, to transfer	
*43.	一齐	yìqí	
		adv. together, simultaneously	
44.	方位	fāngwèi	n. direction
45.	高涨	gāozhǎng	
		adj. (in) high (spirits)	
46.	凌晨	língchén	n. early morning
47.	笼罩	lǒngzhào	
		v. to envelope, to hang over	
48.	启程	qǐchéng	
		v. to set out, to start on a journey	
49.	大致	dàzhì	
		adv. roughly, approximately	
50.	圆满	yuánmǎn	
		adj. satisfactory, perfect	
51.	叹气	tàn qì	v. to sigh
52.	天才	tiāncái	n. genius
53.	高明	gāomíng	
		adj. brilliant, wise, bright	

注释（一）综合注释

Notes **1** 即将

"即将"，副词，表示将要；就要。多用于书面语。例如：

（1）诸葛亮说："您委托的事，当然要办好。箭什么时候用？"周瑜说："即将交战，十天怎么样？"

（2）我们已经完成了学业，即将走上工作岗位，开始人生新的一页。

（3）熊妈妈和她的孩子们胖起来了，他们每天都吃得饱饱的，正在为即将开始的冬眠储存脂肪。

● 练一练：用"即将"完成句子

（1）他_____，参加在多伦多举行的国际摄影展。

（2）8点40分，列车_____终点。

（3）大学毕业那一年，她扔掉了所有的旧东西，不管是衣物还是书，没有丝毫的留恋，只有_____新生活的兴奋与希望。

2 能A就A

"能A就A"表示尽量……。在这个格式中，"A"可以是动词、形容词，也可以是带有动词、形容词的短语，两个"A"所代表的词语相同。用于口语。例如：

（1）这个手机没用多久，能修就修，尽量别换新的。

（2）这本书设计的时候能薄就薄，方便携带。

（3）这是我们家树上结的苹果，挺多的，你能拿多少就拿多少吧。

（4）船上的士兵奋力敲鼓，齐声高喊，声音能多响亮就多响亮。

● 练一练：用"能A就A"改写句子

（1）这是你自己的事，你尽量自己做吧。

_____。

（2）他是个追求完美的人，什么事都尽量做到最好。

_____。

（3）那时候，我就想离开家，而且希望尽量走得远一点。

_____。

（二）词语辨析

■■ 大致——大体

	大致	大体
共同点	1. 表示说的是主要情况，多数情况。	
	如：大家的经历大致/大体相同。	
	2. 表示粗略地、不十分详尽地。	
	如：我跟他大致/大体说了一下。	
不同点	1. 表示不十分准确的估计。	1. 没有左边这个用法。
	如：我大致得在那儿待三个月。（√）	如：我大体得在那儿待三个月。（×）
	2. "大致"还可以做形容词。	2. 没有左边这个用法。
	如：这只是一个大致的想法。	

● **做一做**：选择"大致"或"大体"改写句子

❶ 据我了解，茶叶的种类主要可以分为三种。

_____。

❷ 我大概了解了一下，没几个人参与这件事。

_____。

❸ 要完成这项艰巨的工作，差不多得三个月。

_____。

❹ 我粗略地算了算，一个月得花不少钱呢。

_____。

（三）篇章修辞

■■ 篇章（3）替代

　　替代指的是用替代形式来取代文中的某一部分。替代可以避免重复，使句子更为紧凑，同时起着不可忽视的衔接上下文的作用。例如：

　　（1）一天，周瑜请来了诸葛亮，说："我们就要跟曹操的军队打仗了。水上作战，用什么武器最好？"诸葛亮说："弓箭。"周瑜说："这话不假。可现在我们缺箭，当务之急是赶造十万支箭，造箭的事就由您承办吧。"

　　（"这话"替代"（水上作战，）（用）弓箭（最好）"。）

（2）诸葛亮说："你借给我二十条船，每条船上要三十名士兵。船用黑布遮挡严密，再把草捆成捆儿，共要一千个，排在船的侧面，我有用。不过这是机密，你得替我保密，不要走漏消息，否则我性命难保。"

（"否则"替代"（如果）走漏了消息"。）

（3）"你喜欢《红楼梦》还是《三国演义》？"

"前者吧，我想"，莉莉说。

（"前者"替代"《红楼梦》"。）

● **练一练**：指出下列句子中标有下划线的替代形式替代了哪些具体内容

（1）"大数据"全在于发现和理解信息内容及信息与信息之间的关系，然而，直到最近，我们对<u>此</u>似乎还是难以把握。

此： _____。

（2）1949年8月他离开生活了45年的中国，<u>从此</u>再也没有踏上中国的土地。

从此： _____。

（3）东芝公司在中国曾有<u>这样</u>一句广告语："东芝，东芝，大家的东芝。"在翻译时，前两个"东芝"按日语"Toshiba"发音，于是整句被年轻人开玩笑地用谐音的办法念成"偷去吧，偷去吧，大家的东西。"使其严肃性大降。

这样： _____。

- -

练习 **1** 模仿例子，写出更多的词语

Exercises

例：承办：<u>主办</u> <u>举办</u> <u>办理</u> <u>办事</u>

款待： _____

充足： _____

拖延： _____

机密： _____

2 用所给词语或结构改写句子

① 在发言中，市长指出："现在最重要的是把经济搞上去。"（当务之急）

_____。

② 各位乘客，飞机马上就要起飞了，请大家系好安全带。　　（即将）

_____。

③ 临行前，妈妈再三对我说："出门一定要注意安全。"　　（叮嘱）

_____。

④ 我们的科研经费足够了，请大家不要为此担心。　　（充足）

_____。

⑤ 做任何事情我们都不要浪费，尽量节省一些。　　（能A就A）

_____。

⑥ 凌晨三点，天还没亮，他们就开始出发了。　　（启程）

_____。

3 选择合适的词语填空

拖延　　委托　　紧迫　　期限　　叮嘱

① 　　我们厂的一个大客户_____我们生产一批货，_____一周，不能_____，到期交不了货，就要受罚。时间_____，老板再三_____我们，一定要抓紧生产，按时交货。

意图　　款待　　叹着气　　为难　　寒暄

② 　　一个好久没联系的亲戚昨天来拜访我，见面_____以后，我做了一桌饭菜_____他，闲聊中，他说明了自己来访的_____，是想请我帮他在我们公司找个工作。这件事可真不好办，我_____说："最近经济不景气，公司不需要那么多人，这件事让我很_____，我实在帮不了你。"

4 请说出下列语段中的画线部分替代了什么内容

语段	替代内容
❶ 这里大山环绕，交通不便，连一条像样儿的路都没有，村子里的老人甚至从来没去过城里。尽管<u>如此</u>，这儿的优美风景还是吸引了不少游客的目光。	
❷ 他们的产品质优价廉，不仅耐用，还很美观，<u>因此</u>，销售到了世界一百多个国家和地区。	
❸ 去年八月他们离婚了，<u>当时</u>他没要任何东西，净身出户了。	

5 根据提示，简述课文主要内容

周瑜委托给诸葛亮什么事情？	❶ 造箭原因 ❷ 造箭时间 ❸ 造箭数量
周瑜给诸葛亮制造了什么困难？	❶ 材料准备 ❷ 拖延时间
诸葛亮请鲁肃帮什么忙？	船、士兵、黑布、草捆儿、保密
诸葛亮的计谋是什么？	❶ 诸葛亮一方：大雾、敲鼓、船一字摆开 ❷ 曹操一方：放箭 ❸ 结果：插满了箭
诸葛亮完成任务了吗？ 周瑜的反应是什么？	❶ 圆满完成 ❷ 叹着气说

运用
Application

■ 写一写

　　《草船借箭》是在中国广为流传的一个故事，三国时期魏、蜀、吴三个政权有战争有联合，周瑜嫉妒诸葛亮的才华，故意刁难诸葛亮，最后诸葛亮以自己的聪明才智胜出。在你们国家一定也有许多这样的智慧小故事，请以"智慧的……"为题写一个你们国家的民间故事，字数不少于400字。

_____

_____

_____

_____

扩展
Expansion

■ 词汇：熟悉下列词语的语素义

授予 ─ 授：交给
　　　└ 予：给

解体 ─ 解：分开
　　　└ 体：整体

交涉 ─ 交：互相
　　　└ 涉：牵涉，涉及

抵制 ─ 抵：抗拒
　　　└ 制：限定，用强力约束

便条 ─ 便：简单的，平常的，非正式的
　　　└ 条：一小张纸

势力 ─ 势：政治、经济、军事等方面的力量
　　　└ 力：力量

协议 ─ 协：共同
　　　└ 议：意见，言论

坚实 ─ 坚：结实
　　　└ 实：满，不空

攻克 ─ 攻：打击
　　　└ 克：战胜

华侨 ─ 华：中国或中华的简称
　　　└ 侨：寄居在国外的人

尖锐 ─ 尖：物体细小锋利的顶部
　　　└ 锐：锋利

补救 ─ 补：事后补充或改正
　　　└ 救：帮助，使脱离困难或危险

26 奇异的灯光
The extraordinary light

请对照图片熟悉下列动物和物品的名称，并想想哪一种可以发光？

蚂蚁（mǎyǐ）　　蚊子（wénzi）　　萤火虫（yínghuǒchóng）

油灯（yóudēng）　　　　蜡烛（làzhú）

2　想一想下列词语之间有什么联系。

境	家境、处境、困境、梦境、心境、情境、意境、境况、境地、境界、境遇
珠	汗珠、水珠、泪珠、露珠、钢珠、串珠、圆珠笔、珠子、珠帘
凉	凉风、凉快、凉爽、凉水、凉茶、凉菜、凉鞋、凉气、凉拌、冰凉、清凉、阴凉、受凉
手	手心、手掌、手背、手指、手表、手链、手工、手脚、手语、双手、招手、举手、顺手、出手

课文 Text

奇异的灯光 （994字） 26-1

传说古代有个爱书如命的读书人，每当他捧起书本就像是走进了知识的海洋，天文地理、儒家经典、传记散文、历代诗词，都会使他着迷。历史文化的长期熏陶，使他思维敏捷，胸怀宽广。冬季使人不堪忍受的严寒以及炎热夏天蚊子的骚扰都没有影响他读书的热情，唯独让他发愁的是家境贫乏，日子过得艰难，晚上看书别说蜡烛了，就是灯油也要节省着用。

又是一个闷热的夏夜，窗外阵阵热浪袭来，汗珠顺着脸往下流，脸上痒痒的，像有蚂蚁在爬，他用手擦了擦汗，依然沉醉在书本里。由于坐得太久，他的颈椎有些麻木，屁股酸痛，他晃了晃头，用手揉了揉麻木的脖子，挪了挪屁股，换个姿势，顿时麻木的部位恢复了知觉，他依旧沉浸在读书的快乐中。是啊，只要有书读，挨饿受冻他都不怕；只要有书陪伴，他就感觉幸福、美满，像是生活在天堂。

生词 26-2

1. 捧 pěng v. to hold in both hands
2. 天文 tiānwén n. astronomy
3. 儒家 Rújiā n. Confucianism
4. 传记 zhuànjì n. biography
5. 散文 sǎnwén n. prose
6. 历代 lìdài n. successive dynasties, through the ages, in all ages
7. 着迷 zháo mí v. to be fascinated, to be captivated
8. 熏陶 xūntáo v. to nurture, to edify
9. 胸怀 xiōnghuái n. mind, heart
10. 不堪 bùkān v. can't stand, can't bear
11. 炎热 yánrè adj. scorching, burning hot
12. 骚扰 sāorǎo v. to harass
13. 贫乏 pínfá adj. poor
14. 艰难 jiānnán adj. hard, difficult
15. 蜡烛 làzhú n. candle
16. 蚂蚁 mǎyǐ n. ant
17. 颈椎 jǐngzhuī n. cervical vertebrae
18. 揉 róu v. to rub
19. 挪 nuó v. to move, to shift
20. 屁股 pìgu n. hip, bottom
21. 知觉 zhījué n. consciousness, aesthesia
22. 挨 ái v. to suffer, to endure
23. 美满 měimǎn adj. happy, perfectly satisfactory
24. 天堂 tiāntáng n. heaven, paradise

忽然，油灯无力地跳了两下，无声地熄灭了，眼前顿时陷入了黑暗。糟了，一定是灯油没有了，他有些泄气。黑暗中他眯起双眼，极力使自己尽快适应眼前的黑暗。他拿起油灯在耳边摇了摇，灯油瓶空了。他放下灯，绝望地凝视着眼前的茫茫黑暗，不知道怎样打发这个漫漫长夜。

屋子里闷热的空气像是凝固了，烦躁在他身体中蔓延开来，他努力克制着自己的情绪，默默地背诵着刚刚读过的古诗，在头脑中编织着诗中描绘的动人画面，可这种强制的办法没有效果，于是，他打开房门走入了沉沉夜色。

夏日的夜十分美丽，一闪一闪的星星镶嵌在夜空中，偶尔还会吹来一阵凉风。他漫步在田野中，欣赏着美丽的夜景，忽然他被眼前的情形吸引住了，只见一大群萤火虫在低空盘旋飞舞，来来回回地飞。萤火虫的尾巴都有亮光在闪烁，成为黑暗中唯一耀眼的光芒。

他跟在萤火虫后面。忽然一只萤火虫飞到了眼前，他伸手一捞，把它握在了手心，摊开手掌，哇，萤火虫还老老实实地待在那里，尾部依旧闪着亮光，也许那亮光只能用毫米计算，可却还算明亮。瞬间，他头脑中迸发出一个想法："如果将许多萤火虫集中在一起，

25.	熄灭	xī miè
		v. to put out, to extinguish
26.	泄气	xiè qì
		v. to lose heart, to be frustrated
27.	眯	mī v. to squint
28.	绝望	jué wàng v. to be in despair
29.	凝固	nínggù
		v. to solidify, to congeal
30.	蔓延	mànyán v. to spread
31.	克制	kèzhì v. to restrain, to refrain
32.	默默	mòmò adv. silently, quietly
33.	背诵	bèisòng
		v. to recite, to repeat from memory
34.	编织	biānzhī v. to weave
35.	强制	qiángzhì
		v. to force, to compel, to coerce
36.	田野	tiányě n. field, open country
37.	情形	qíngxing
		n. situation, circumstance
38.	耀眼	yàoyǎn adj. dazzling
39.	光芒	guāngmáng n. rays of light
40.	捞	lāo v. to drag for, to scoop up
41.	摊	tān v. to spread out
42.	哇	wa part. wow
43.	毫米	háomǐ m. millimeter (mm.)
44.	迸发	bèngfā
		v. to burst forth, to burst out

不就成灯了吗？"他决定试一试。他找了个薄布做的布兜，抓了一些萤火虫放在里面，然后将袋口扎住，把口袋吊起来，一个"灯笼"就做成啦，虽然没有油灯亮，看书还是勉强可以的，从此，萤火虫做成的"灯"就夜夜陪伴着他。

他虽然不是天才，没有过人的天赋，但是日复一日的努力，使他的学识与日俱增，最后终于成为知名学者。

生活贫困并不可怕，可怕的是思想贫困、精神贫困、智慧贫困。贫困的经历在有些人那儿可以成为财富，成为奋斗拼搏的动力和源泉。

改编自《学圣人 悟做人》文章《囊萤照读》，编著：欧阳敏

45.	兜	dōu	n. pocket, bag
46.	灯笼	dēnglong	n. lantern
47.	啦	la	part. *sound expressing exclamation or interrogation*
48.	天赋	tiānfù	n. talent, gift
49.	贫困	pínkùn	adj. poor
50.	财富	cáifù	n. wealth, fortune
51.	源泉	yuánquán	n. source

注释（一）综合注释

Notes **1** 别说

"别说"，连词，用于表示让步的复句中。通过降低某人或某事物的重要性，突出强调另外的人或事物。常与"连……""就是/即使……"连用。多用于口语。例如：

（1）晚上看书别说蜡烛了，就是灯油也要节省着用。

（2）我认识的那点儿字，别说写小说了，看小说都看不下来。

（3）工厂管理很严，别说外人，即使本厂的人也不能在各个车间乱跑。

● 练一练：用"别说"完成句子

（1）那个动画片那么好看，连大人都爱看，＿＿＿＿＿＿＿＿＿＿＿＿＿。

（2）那么破的自行车，＿＿＿＿＿＿＿＿＿＿＿，白给也未必有人要。

（3）＿＿＿＿＿＿＿＿＿＿＿＿，就是在，他也不会见你。

2 来来回回

有些动词可以按AABB式重叠使用，如"打打闹闹、进进出出、来来往往、拉拉扯扯、比比划划"等，有时意义相关的两个词也可以这样使用，如"嘻嘻哈哈、磕磕碰碰、拖拖拉拉"等。动词这样使用时，形式与功能很像形容词。它们做谓语时，后边常有"的"，做状语时，后边常有"地"。例如：

（1）小孩子就喜欢打打闹闹，磕磕碰碰是难免的，过几天就好了，别担心。

（2）虽说她已经是大人了，可整天还是蹦蹦跳跳，说说笑笑的。

（3）只见一大群萤火虫在低空盘旋飞舞，来来回回地飞。

● 练一练：选择合适的词语填空

说说笑笑　　拖拖拉拉　　吵吵嚷嚷　　打打闹闹

（1）他这个人办事就是＿＿＿＿＿的，让人着急。

（2）在饭馆，吃完饭＿＿＿＿＿争着付钱的准是中国人。

（3）那时我们住一个宿舍，大伙天天＿＿＿＿＿、＿＿＿＿＿地，快活极了。

（二）词语辨析

■ 挨——受

	挨	受
共同点	都有遭受、忍受的意思。	
	如：他脸上显出挨/受了批评的样子。	
不同点	1. 后边带的名词常常表示施事使用的工具。	1. 后边带的名词常常表示灾害、倒霉、损失等意思。
	如：身上挨了一脚/挨了一顿棍子/挨了一个耳光	如：受灾、受罪、受损失、受气

	挨	受
不同点	2. 后边带的动词常常表示身心受到伤害的具体动作。	2. 后边可以带表示状态或表示褒义的动词。
	如：挨打、挨骂、挨批、挨咬	如：受压迫、受剥削、受骗、受埋怨、受表扬、受嘉奖
	3. 除个别形容词外，后边很少带形容词。	3. 后边可以带一部分形容词。
	如：挨饿、挨冻	如：受苦、受累、受冻、受惊

● **做一做**：选择"挨"或"受"填空

❶ 这次地震中，人民的生命财产_____到很大损失。

❷ 记得儿时去野外玩儿常常_____蚊子咬。

❸ 因为撒谎，他_____了父亲一顿打。

❹ 您_____累，帮我照顾一下孩子好吗？

（三）篇章修辞

修辞（3）比喻

不直接说某一事物如何如何，而是利用事物之间的相似特征，用具体的形象打比方来表现，这种表达方法叫比喻。例如：

（1）传说古代有个爱书如命的读书人，每当他捧起书本就像是走进了知识的海洋。

（用"海洋"的广阔，比喻知识的浩瀚无边。）

（2）别人批评你的缺点，就像医生治病一样，是为你好，绝不是和你过不去。

（3）远远的街灯明了，好像闪着无数的明星。天上的明星现了，好像点着无数的街灯。

● **练一练**：下列哪句没有使用比喻修辞手法

（1）母亲是大地，我就是小草；母亲是绿叶，我就是鲜花。

（2）春天春天暖洋洋，果树开花满山岗，东坡桃花西坡李，杏花谢了梨花香。

（3）我有一位不开口说话的老师，她就是字典。

练习 **1** 模仿例子，写出更多的词语
Exercises

例：克制：<u>控制　　强制　　限制　　节制</u>

炎热：_____

贫乏：_____

艰难：_____

贫困：_____

2 用所给词语完成句子

❶ _____，搬到别的城市居住了。（不堪）

❷ _____，才能体会到现在的幸福。（艰难）

❸ 他连蛇都不怕，_____。（别说）

❹ 失败了没关系，_____。（泄气）

❺ 为了不影响工作，他努力_____。（克制）

❻ 他总是_____，让我很感动。（默默）

3 选择合适的词语填空

历代　　捧　　绝望　　传记　　财富

❶ 　　我爱读书，尤其是名人_____，每当我_____起书，就仿佛走进了_____人的生活。他们的人生经历告诉我在_____中也不要放弃，这成为我生命中一笔宝贵的精神_____。

田野　　蔓延　　光芒　　熄灭　　知觉

❷ 　　夏夜，漫步在_____中，远处村子的灯光都_____了，只剩下星星那微弱的_____。此刻，调动全身的_____去感受吧，凉风吹来，丝丝凉意在身体中_____开来，还有阵阵花香袭来，多么美好的夏夜啊！

4 请说一说下列句子中比喻的用法

例句	用……比喻……
❶ 这是一种像小钟儿似的紫色的花，密密麻麻生长着。	
❷ 树叶枯黄了，纷纷落下，犹如一只只蝴蝶在翩翩起舞。	
❸ 童年是一幅画，色彩绚丽，烂漫天真。	
❹ 老师，您是茂盛的枝叶，您用强有力的身躯呵护着我们这些花骨朵。	

5 根据提示，简述课文主要内容

让读书人幸福的事情	❶ ……使他着迷 ❷ 只要有……陪伴，就……
让读书人发愁的事情	家境贫困，灯油
读书人为了克服困难采取的办法	❶ 克制、背诵、编织 ❷ 漫步田野，发现萤火虫 ❸ 制成萤火虫"灯笼"
读书人最后的成就	知名学者
这个故事给我们的启示	……并不可怕，可怕的是……

运用
Application

■ 写一写

　　这篇课文给我们讲述了一个克服困难、勤奋学习的故事，故事的主人公因家境贫寒，没钱买灯油，可又酷爱读书，因此想出了借用萤火虫的光芒来读书的办法，终于成为知名学者。故事告诉我们生活的贫困并不可怕，可怕的是思想贫困、精神贫困。请参考练习5，把课文缩写成400字左右的短文。

_____

_____

_____

扩展
Expansion

■ 词汇

（1）看图片，熟悉下列名词

	容器 不管使用什么样的容器，只要能盛水就行。		橙 我喜欢吃橙子，也喜欢橙色。
	首饰 各式各样的首饰吸引了我们的目光。		传单 墙上贴满了各种海报，也有人在路上发传单。
	生肖 在中国，生肖是用来记录人们出生年份的十二种动物。		棕色 草地上有一只棕色的小狗。
	粉色 粉色的花儿开遍田野。		磁带 现在已经很少有人再用老式录音机和磁带了。

（2）阅读短文，熟悉下列文学方面的词语

　　他是一名文艺爱好者，尝试过各种不同体裁的写作：小说、诗歌、散文、剧本等。最近他写了一部武侠小说，情节曲折，引人入胜。小说发表后受到了广泛好评。

27 完璧归赵
Returning the jade intact to the State of Zhao

在国家外交中，你认为弱国应该采取何种方式应对强国？请根据下列提示说说自己的看法。

1. 完全服从强国

2. 跟强国对抗

3. 请求别国的帮助

4. 在保全自己的基础上适当妥协

5. 其他

2 想一想下列词语之间有什么联系。

商	商议、商量、商讨、商谈、商定、商洽、磋商、协商
过	过错、过失、改过、悔过、记过、罪过、功过、将功补过
诚	诚实、诚心、诚信、诚恳、真诚、热诚、忠诚、至诚、精诚合作、真心诚意
众	众臣、众人、大众、公众、观众、听众、群众、民众、万众一心、众望所归、兴师动众

课文 Text

完璧归赵[1]（1114字）🔘 27-1

战国后期，秦国最强。秦王得知赵王得到一块叫"和氏璧"的宝玉，传话给赵王，说愿用十五座城换和氏璧。赵王左右为难，不知如何答复秦王：答应吧，怕上当受骗——给了和氏璧，拿不到城；不答应吧，又怕得罪秦国。于是，赶忙召集大臣商议对策。

大臣们也没有好办法。有人提议，蔺相如见多识广，有勇有谋，可以听听他怎么说。赵王请来了蔺相如，并亲自向他请教。蔺相如说："秦强赵弱，凭实力，我们不答应不行；秦以十五座城换一块玉，也算慷慨，并未亏待赵国，若不答应，过错在赵；若将和氏璧送去，秦不交出城来，那么错就在秦了，因此我们只有送和氏璧。"赵王说："那就请先生即刻动身前去磋商。"蔺相如说："大王派我去，是我的荣幸。此去秦国，秦若是交了城，我便把璧留下；不交城，我一定完璧归赵。"

生词 🔘 27-2

1. 玉　　　yù　n. jade
2. 答复　　dáfù　v. to reply to
3. 得罪　　dézuì
   v. to offend, to displease
4. 大臣　　dàchén
   n. minister (of a monarchy)
5. 对策　　duìcè
   n. countermeasure, countermove
6. 提议　　tíyì
   v. to propose, to suggest
7. 请教　　qǐngjiào
   v. to ask for advice, to consult
8. 实力　　shílì
   n. prowess, actual strength
9. 慷慨　　kāngkǎi　adj. generous
10. 亏待　　kuīdài
    v. to treat unfairly,
    to treat shabbily
11. 动身　　dòng shēn
    v. to set off, to set out
12. 磋商　　cuōshāng
    v. to consult, to negotiate
13. 荣幸　　róngxìng
    adj. honored, privileged

---

① 完璧归赵：璧：一种玉器，扁平，圆形，中间有孔。完璧归赵的故事发生在公元前283年，经过如课文所述。此后汉语中就有了"完璧归赵"这个成语，比喻将物品等完好地归还原主。

　　蔺相如带着和氏璧到了秦国，转达了赵王的问候，把玉献给了秦王。秦王对着和氏璧左看右看，爱不释手。蔺相如等了半天不见秦王提换城之事，心想果然是个圈套，可璧在秦王手里，怎么把璧拿回来呢？左思右想之后，他对秦王说："这璧有点儿小毛病，请大王把璧归还于我，我指给大王看。"秦王把璧递给蔺相如。蔺相如从容地站在殿中央，手抱和氏璧说："大王派人到赵国，说用十五座城换赵国的璧。赵王派我将璧送来。可大王您好像并没有兑现的诚意。如今璧在我手里，想不交城拿走璧，那是妄想。"蔺相如发誓，如若逼他，就将自己的头和璧一起撞碎在柱子上，秦王看到的将是他的尸体和破碎的玉。秦王连忙说："别误会，我怎么会撒谎呢？"忙命大臣拿出地图，把十五座城指给蔺相如看。蔺相如还是不敢相信秦王，说："赵王送璧之前，举行了隆重的仪式：沐浴更衣，戒掉荤腥，只吃素食，以示庄严。我并非无理取闹，也不是冒犯大王。大王如真心换璧，亦请举行同样的仪式，我才敢把璧献给您。"

　　秦王想，璧都到了我这儿，我还怕他跑了不成？就说："好，就依你。"蔺相如回到住处，立刻派人打扮成商人的模样，偷偷越过边境，把璧送回了赵国，并嘱咐身边的人，不可泄露秘密。五天后，秦王率领众臣，准备接收和氏璧。蔺相如镇静

14. 转达　　zhuǎndá
　　　v. to convey, to pass on

15. 爱不释手　àibúshìshǒu
　　　to like/love sth. so much that one cannot bear to part with it

16. 圈套　　quāntào　　n. trap, snare

17. 归还　　guīhuán
　　　v. to return, to give back

18. 从容　　cóngróng
　　　adj. calm, leisurely

19. 中央　　zhōngyāng
　　　n. middle, center

20. 兑现　　duìxiàn　　v. to fulfill

21. 妄想　　wàngxiǎng　　n. delusion

22. 发誓　　fā shì　　v. to swear, to vow

23. 尸体　　shītǐ　　n. corpse, dead body

24. 撒谎　　sā huǎng　　v. to lie

25. 隆重　　lóngzhòng
　　　adj. grand, solemn

26. 仪式　　yíshì　　n. ceremony

27. 沐浴　　mùyù　　v. to bathe

28. 荤　　hūn　　n. meat or fish

29. 庄严　　zhuāngyán
　　　adj. dignified, solemn

30. 无理取闹　wúlǐ-qǔnào
　　　to make trouble out of nothing

31. 冒犯　　màofàn
　　　v. to offend, to insult

32. 亦　　yì　　adv. also, too

33. 边境　　biānjìng　　n. border, frontier

34. 泄露　　xièlòu
　　　v. to leak, to disclose

35. 率领　　shuàilǐng
　　　v. to lead, to head, to command

36. 镇静　　zhènjìng　　adj. sedate, calm

地对秦王说："秦国仗着国力雄厚，一贯霸道，不讲信用，声誉不好，事情我就不一一列举了，今天，我怕大王您不履行承诺，已经把璧送回了赵国。"秦王听后大怒，说："我堂堂秦王，还会骗你不成？你这不是歪曲我的意思吗？"

蔺相如理直气壮地说："众所周知，秦强赵弱。天下只可能强国欺负弱国，不可能弱国压迫强国。大王真要那块璧的话，不要光口头说，请先把十五座城割让给赵国，赵得到十五座城，绝不敢不把璧交出来。"

秦王听蔺相如说得在理，只得装出一副高姿态说："不就是一块玉嘛，秦赵两国总不能为这点儿小事闹出隔阂，再起争端。"

蔺相如归赵以后，秦国再也没有提过以城换玉的事情。

改编自《学圣人 悟做人》文章《完璧归赵》，编著：欧阳敏

37. 雄厚	xiónghòu adj. abundant, solid, tremendous
38. 一贯	yíguàn adj. consistent, always
39. 霸道	bàdào adj. overbearing, domineering
40. 声誉	shēngyù n. reputation, fame, prestige
41. 列举	lièjǔ v. to list, to enumerate
42. 履行	lǚxíng v. to perform, to fulfill, to carry out
43. 歪曲	wāiqū v. to distort, to misrepresent, to twist
44. 理直气壮	lǐzhí-qìzhuàng to be in the right and self-confident
45. 压迫	yāpò v. to oppress, to repress
46. 口头	kǒutóu adj. oral, verbal
47. 副	fù m. (*used to indicate facial expression*) air, look
48. 姿态	zītài n. attitude, posture
49. 隔阂	géhé n. estrangement, misunderstanding
50. 争端	zhēngduān n. dispute, conflict

注释（一）综合注释
Notes **1** 左……右……

"左……右……"强调同类行为多次反复。

① 左V₁右V₂。V₁和V₂相同或意义相近。

（1）秦王对着和氏璧左看右看，爱不释手。

（2）蔺相如等了半天不见秦王提换城之事，心想果然是个圈套，可璧在秦王手里，怎么把璧拿回来呢？左思右想之后，他对秦王说："这璧有点儿小毛病，请大王把璧归还于我，我指给大王看。"

（3）这个学生上课不专心听讲，总是左顾右盼。

②左＋一＋量[＋名]＋右＋一＋量[＋名]。

（1）那个电影，他左一遍右一遍地看，看了七八遍也看不够。

（2）她长得漂亮，爱玩儿自拍，手机里左一张右一张，都是自己的自拍照。

（3）妈妈左一个电话右一个电话地催他回家。

● 练一练：用"左……右……"完成句子

（1）我＿＿＿＿＿＿＿＿地去了你家五六趟了，你怎么老不在家呀！

（2）大家＿＿＿＿＿＿＿＿＿＿＿＿＿＿，总算把她说通了。

（3）妈妈拿着女儿买的礼物，＿＿＿＿＿＿＿＿＿，越看越喜欢。

2 不成

"不成"，助词，用在句末，表示推测或反问的语气，前面常有"难道、莫非"等词呼应。例如：

（1）璧都到了我这儿，我还怕他跑了不成？

（2）我堂堂秦王，（难道）还会骗你不成？

（3）他大吃一惊，头脑中一片空白——莫非受了骗不成？

● 练一练：将疑问句改成带"不成"的反问句

（1）到现在你都不说出实情，难道是想一直这样骗下去吗？

＿＿＿＿＿＿＿＿＿＿＿＿＿＿＿＿＿＿＿＿

（2）你们大家都不说话，事情就这么算了吗？

＿＿＿＿＿＿＿＿＿＿＿＿＿＿＿＿＿＿＿＿

（3）咱们多少年的朋友了，难道我会害你吗？

＿＿＿＿＿＿＿＿＿＿＿＿＿＿＿＿＿＿＿＿

（二）词语辨析

■ 一贯——一直

	一贯	一直
共同点	都有"一向如此，从未改变"的意思。	
	如：他干活儿一贯/一直很卖力。	
不同点	1.侧重于思想、作风、态度等方面一向如此。一般不表示动作的持续。	1.可以表示动作始终不间断，也可以表示状态始终不变。
	如：①谦虚、朴素是他一贯的作风。　　　　　　　（√） ②雨一贯下了三天。（×）	如：①雨一直下了三天。（√） ②他一直是这个样子。　　　　　　　（√）
	2.指从过去到现在的行为，不能用于未来。	2.可以用于未来。
	如：要把这种作风一贯坚持下去。　　　　　　（×）	如：要把这种作风一直坚持下去。　　　　　　（√）
	3.是形容词，可以修饰名词。	3.是副词，不能修饰名词。
	如：这是他一贯的态度。（√）	如：这是他一直的态度。（×）

● **做一做**：选择"一贯"或"一直"填空

① 自从昨天晚上听到这个不幸的消息，她就＿＿＿＿＿＿在哭。

② 说实话，欺上瞒下是他＿＿＿＿＿＿的手段。

③ 爷爷＿＿＿＿＿＿为人谦虚热情，是个公认的好人。

④ 凝视着男友英俊的面庞，小文暗想："多希望能＿＿＿＿＿＿陪他走下去啊！"

（三）篇章修辞

■ 修辞（4）引用

　　写文章时，有意引用成语、诗句、格言、典故等，以表达自己想要表达的思想感情，说明自己对新问题、新道理的见解，这种修辞手法叫引用。例如：

　　（1）赵王左右为难，不知如何答复秦王：答应吧，怕上当受骗——给了和氏璧，拿不到城；不答应吧，又怕得罪秦国。

　　　　（成语"左右为难"形容这样办不好，那样办也不好。）

（2）一个村民，怎么会有如此高超的修复古代文物的技艺？这还得从几年前一批珍贵文物被盗，之后完璧归赵的故事说起。

（3）以前中国人深信的是"酒香不怕巷子深"，我的酒好，不用自己宣传，不用做广告，哪怕我在胡同最里头，闻着酒的香味儿你就会来。

● **练一练：**把下列6个小句组合成3个连贯的语段

A. 以前咱们讲究的是什么？童叟无欺；言而有信；君子一言，驷马难追；酒香不怕巷子深

B. 近年来，失眠症发病率居高不下，美国的失眠发生率高达32%~50%，英国在10%~14%之间，中国也在30%以上

C. 从小我就常听妈妈说，"一寸光阴一寸金，寸金难买寸光阴"

D. 现在可好，做假广告的，卖假冒伪劣产品的，考试作弊的，什么都有

E. 世界卫生组织对14个国家的调查显示

F. "少壮不努力，老大徒伤悲"，所以，人应该珍惜时间，从小努力

（1）　　　　　　　（2）　　　　　　　（3）

练习
Exercises

1 模仿例子，写出更多的词语

例：妄想： 梦想　　理想　　空想　　想法
　　　 •

　　答复： _____
　　　 •

　　荣幸： _____
　　　 •

　　撒谎： _____
　　　 •

　　边境： _____
　　　 •

2 用所给词语或结构改写句子

① 我的手机铃声不断响起，让我有点儿烦。 （左一……右一……）

_____。

② 为提高工作效率，小王建议把两个部门合并起来。 （提议）

_____。

③ 你对他诚挚的问候，我一定当面转告。 （转达）

_____。

④ 我终于做到了若干年前对你的承诺。 （兑现）

_____。

⑤ 民族素质指国内各民族全体成员个体和群体的素质，也称国民素质。

（亦）

_____。

⑥ 你刚答应我的事，转眼就改变主意了，难道你想反悔吗？ （不成）

_____。

3 选择合适的词语填空

慷慨　　答复　　转达　　实力　　亏待

①　　　一家公司想聘请我去工作，于是派人来说服我。来人先_____
了总经理的问候，然后又开始劝说："凭你的_____，几年之内，一
定能升到副总的职位。而且我们老板很_____，一定不会_____
你，……"我没有立即_____他们，决定慎重地考虑考虑再说。

列举　　冒犯　　雄厚　　霸道　　无理取闹

②　　　班里有个很_____的学生，大家都讨厌他。他仗着家里资金
_____，常常_____。不但欺负同学，还_____老师、撒谎、
不讲信用……劣迹太多，无法一一_____了。

4 请找出下列语段中引用的成分

语段	引用成分
❶ 俗话说："不到长城非好汉！"今天我终于登上了长城。	
❷ "只要功夫深，铁杵磨成针。"无论做什么事情，只要能坚持，有恒心，一定会成功的。	
❸ 我看他是醉翁之意不在酒啊，你千万小心，别上了他的当。	
❹ 刚开学时，老师记不住大家的名字，常常张冠李戴。	

5 根据提示，简述课文主要内容

赵王因为什么事情发愁？	和氏璧	答应……
		不答应……
赵王派谁去秦国磋商？为什么？	❶ 见多识广，足智多谋 ❷ 蔺相如的分析：秦国……赵国……	
蔺相如出使秦国的经过	❶ 献玉 ❷ 拿回玉 ❸ 发誓 ❹ 请秦王举行仪式 ❺ 把玉偷偷送回赵国 ❻ 跟秦王辩论	

运用
Application

写一写

本课讲述了中国古代外交史上一个经典的案例，蔺相如利用自己的智谋和勇气，出色完成了出使秦国的任务，既保全了赵国，又在道义上让秦国无话可说。在你们国家的历史上一定也有这样的外交故事，请以"善于外交的……"为题写一个你们国家出色外交家的故事，字数不少于400字。

_____

_____

_____

_____

扩展
Expansion

词汇

（1）熟悉下列反义词

保卫 —— 侵略	招标 —— 投标
撤退 —— 进攻	独裁 —— 民主
被告 —— 原告	书面 —— 口头
暴力 —— 和平	

（2）阅读短文，熟悉下列学业方面的词语

大学毕业生想拿到文凭，首先得通过各科目的考试，考试时当然不能作弊，平时也不能总是旷课。除此以外，最重要的就是写好毕业论文了。论文格式要规范，标题、摘要、注释等部分都要按照规定的格式书写，此外，论文应该要点突出，论证严密。一篇好的毕业论文很有可能刊登在专业刊物上呢。论文完成以后，就要进行论文答辩了。只要答辩通过，就可以愉快地参加毕业典礼了。

28 高山流水遇知音

The sincere friendship between Yu Boya and Zhong Ziqi

下图中的物品叫"瑶琴"，可以弹奏出美妙的音乐，汉语中有一个词语叫"知音"，请谈谈你理解的"知音"的意思，你有知音吗？

瑶琴（yáoqín）

知音：＿＿＿＿＿＿＿＿＿＿

＿＿＿＿＿＿＿＿＿＿

＿＿＿＿＿＿＿＿＿＿

＿＿＿＿＿＿＿＿＿＿

＿＿＿＿＿＿＿＿＿＿

2 想一想下列词语之间有什么联系。

动	动听、动人、动火、动气、动怒、动情、动容、动心、感动、打动、激动、触动、生动
辨	辨识、辨别、辨认、辨析、辨明、分辨、明辨是非
雄	雄壮、雄伟、雄厚、雄大、雄劲、雄浑、雄兵、雄心、雄威、雄姿、雄关
清	清澈、清新、清爽、清淡、清风、清高、清净、清凉、清香、清秀、清白、清汤

课文 Text 高山流水遇知音 （1072字） 28-1

俞伯牙从小酷爱音乐，他的琴声优美动听，犹如高山流水一般。虽然大家都赞美他琴弹得好，却从没有人能真正领会他琴声的内涵，他多想找到自己的知音啊！

一个中秋①之夜，他乘船来到江边，偶遇风浪，船停在了一个类似港湾的地方。晚上，风浪渐渐平息，天气晴朗，江水清澈，景色十分迷人。望着空中的明月，俞伯牙来了兴致，拿出琴弹了起来，一会儿他就沉醉在了音乐之中。忽然他看到一个人雕塑一样站在岸边，似乎听得出了神。俞伯牙一个不留神，"啪"的一声，琴弦拨断了一根。这时，听琴的人大声说："先生不必在意，我是个打柴的，回家晚了，走到这里听到您在弹琴，觉得琴声美妙，不由得站在这里听了起来。"

俞伯牙借着月光仔细打量，见那人身旁放着刚刚砍伐来的木柴，果然是个打柴的。俞伯牙心想：一个打柴的怎么能听懂我的琴呢？偏僻的山野还有这么不平凡的人？于是他问："你既然懂琴，那就请说说，我弹的是什么曲子？"打柴人说："先生刚才弹的乐谱是孔子为赞叹他的弟子而创作的，只可惜，您弹到第四句的时候琴弦断了。"俞伯牙不禁感叹，民间真有精通音

生词 28-2

1. 领会　lǐnghuì
   v. to understand, to grasp
2. 内涵　nèihán
   n. meaning, connotation
3. 港湾　gǎngwān　n. harbor
4. 晴朗　qínglǎng
   adj. sunny, fine and cloudless
5. 清澈　qīngchè　adj. clear
6. 出神　chū shén
   v. to be absorbed in, to be lost in thought
7. 弦　xián
   n. string (of a musical instrument)
8. 美妙　měimiào
   adj. beautiful, fantastic
9. 砍伐　kǎnfá
   v. to cut down, to chop
10. 平凡　píngfán　adj. ordinary
11. 乐谱　yuèpǔ　n. music score
12. 赞叹　zàntàn
    v. to admire, to highly praise
13. 创作　chuàngzuò
    v. to compose, to write
14. 民间　mínjiān
    n. folk, among the people
15. 精通　jīngtōng
    v. to master, to be proficient in

① 中秋：中国传统节日"中秋节"，为每年的农历八月十五。

乐之人，难能可贵！他迫不及待地想和打柴人好好聊聊。

打柴人应邀上了船，看到俞伯牙的琴，赞道："真是好琴。"接着又说起瑶琴的来历，俞伯牙不禁心生钦佩。接着俞伯牙又为打柴人演奏了几曲，请他辨识其中之意。当他的琴声雄壮豪迈的时候，打柴人说："这旋律表达了高山的雄伟壮观。有气势，有气魄！"当琴声曲折激越、节奏短促时，打柴人说："这旋律表达的是波涛汹涌，浪花飞溅，气概非凡！"当琴声变得清新流畅时，打柴人说："这旋律表达的是无尽的流水。"俞伯牙惊喜万分，过去没人能听懂他琴声的含义，没想到在这荒凉之地，竟觅到自己久寻不遇的知音，不仅能领会其意，还能领悟其神。

打柴人叫钟子期，两人在月下侃侃而谈，越谈越投机。黎明将至，钟子期告辞，并与俞伯牙约定，来年中秋还在这里相见。

16. 难能可贵　nánnéng-kěguì
praiseworthy for one's excellent conduct, rare and commendable

17. 应邀　yìngyāo
v. to be at sb.'s invitation

18. 钦佩　qīnpèi
v. to admire, to respect, to think highly of

19. 演奏　yǎnzòu
v. to play (an instrument), to give an instrumental performance

20. 豪迈　háomài
adj. bold and generous, heroic

21. 旋律　xuánlǜ　n. melody

22. 雄伟　xióngwěi
adj. magnificent, majestic, grand

23. 壮观　zhuàngguān　adj. spectacular

24. 气势　qìshì　n. momentum

25. 气魄　qìpò　n. boldness, spirit

26. 曲折　qūzhé　adj. tortuous, winding

27. 节奏　jiézòu　n. rhythm

28. 短促　duǎncù　adj. short, brief

29. 波涛　bōtāo　n. great waves

30. 溅　jiàn　v. to splash

31. 气概　qìgài　n. spirit, courage

32. 含义　hányì　n. meaning, implication

33. 荒凉　huāngliáng
adj. desolate, wild

34. 领悟　lǐngwù
v. to understand, to realize

35. 侃侃而谈　kǎnkǎn ér tán
to speak with fervor and assurance

36. 投机　tóujī
adj. congenial, agreeable

37. 黎明　límíng　n. dawn

38. 告辞　gàocí　v. to take leave

第二年中秋这天，俞伯牙如约来到了老地方，从黄昏等到夜幕降临，一直不见钟子期到来，他有些沮丧，开始用琴声呼唤钟子期，可还是见不到钟子期的影子。该不是有了什么变故吧？俞伯牙焦急万分。

第二天，俞伯牙向一位老人打听他的好友，老人告诉他，钟子期染病，逝世已有段时间了。临走前，他留下遗言，把坟墓修在江边，到八月十五，好听俞伯牙弹琴。老人的话使俞伯牙泪流不止，他来到钟子期坟前，弹了一曲《高山流水》，曲终，他把心爱的琴摔了个粉碎，悲伤地说："琴向来是要弹给知音听的，如今我唯一的知音已不在人世，这琴还弹给谁听呢？"

故事有些凄凉，但两位知音的深情厚谊感动了后人，至今人们还用"知音"来形容朋友之间真挚而纯洁的情谊。

39.	黄昏	huánghūn	n. dusk
40.	降临	jiànglín	
			v. to descend, to befall
41.	沮丧	jǔsàng	
			adj. disappointed, depressed
42.	变故	biàngù	
			n. accident, unforeseen event
43.	逝世	shìshì	
			v. to pass away, to die
44.	坟墓	fénmù	n. grave, tomb
45.	不止	bùzhǐ	v. to be ceaseless
46.	粉碎	fěnsuì	adj. to smash
47.	向来	xiànglái	
			adv. always, all along
48.	凄凉	qīliáng	adj. sad, miserable
49.	深情厚谊	shēnqíng hòuyì	
			profound sentiments of friendship, deep friendship
50.	真挚	zhēnzhì	adj. sincere
51.	纯洁	chúnjié	adj. pure

注释（一）综合注释

Notes **1** 与"个"相关的格式

① 一个 + 名词/动词结构，用在谓语动词前，表示快速或突然。例如：

（1）他手没抓住栏杆，一个跟头栽了下来。

（2）我一个不小心，打碎了妈妈最心爱的花瓶。

（3）俞伯牙一个不留神，"啪"的一声，琴弦拨断了一根。

② 在格式 "V+（了）个 + adj/V"中，"个"的作用类似引进补语的 "得"。例如：

（1）他把心爱的琴摔了个粉碎。

（2）我们都爱听张总讲话，开会的时候张总一张嘴，大家就会笑个不停。

（3）他们的武力太弱，不足以构成威胁，我们一定能够把他们打个落花流水。

● 练一练：把下列6个小句组合成3个连贯的语段

A.他一个失手，碗掉在地上

B.不一会儿就把屋子弄了个乱七八糟

C.天阴沉沉的，瓢泼大雨下个不停

D.摔了个粉碎

E.儿子放学，和小伙伴在家里玩儿起了捉迷藏

F.大家的心里都很着急

（1）_____ （2）_____ （3）_____

2 向来

"向来"，副词，表示从过去到现在都是这样。例如：

（1）他们向来忠厚、老实，为人诚恳。

（2）他教汉语向来重视识字，这样可以使留学生熟悉语素，进而掌握大量的词汇。

（3）琴向来是要弹给知音听的，如今我唯一的知音已不在人世，这琴还弹给谁听呢？

● 练一练：选择合适的句子填空

A.向来为别人考虑得少　　B.向来他说了不算　　C.这地方向来热闹

（1）_____，买东西的、逛街的、看热闹的，人山人海。

（2）他的缺点就是太自私，_____，为自己想得多。

（3）他们家的事_____，得问他爱人。

（二）词语辨析

■ 气势——气魄

	气势	气魄
共同点	都有"人或事物表现出某种力量和气概"的意思。	
	如：天安门城楼的气势/气魄非常雄伟。	
不同点	侧重于指态度、声势。	侧重于指人处置事情时所具有的胆识和果断的作风。
	如：他气势汹汹地冲过来。	如：他办事很有气魄。

● **做一做**：选择"气势"或"气魄"填空

① 处理大事就应该像他这样果断，有大_____。

② 整场演出_____宏大，精彩异常，深深吸引了广大观众。

③ 这样一个有大_____的人，如果不当领导实在太可惜了。

④ 在比赛中，不管实力如何，我们首先要从_____上压倒对方。

（三）篇章修辞

■ 修辞（5）婉曲

　　故意不直接说明某事物，而是借用与某事物意义相同的语句，以委婉曲折的方式表达，这种修辞手法叫婉曲。例如：

　　（1）临走前，他留下遗言，把坟墓修在江边，到八月十五，好听俞伯牙弹琴。

　　　　（不直说"死"，以"走"代替）

　　（2）各位先聊，我去方便一下。

　　　　（不直说"上厕所"，以"方便"代替）

　　（3）您刚40岁，长得好像有点儿着急。

　　　　（不直说"老"，以"长得着急"代替）

● **练一练**：指出下列哪句使用了婉曲修辞手法

　　（1）在那家商店，我看到了一架旧手风琴，轻巧可爱。

　　（2）妈妈，我的个人问题自己解决好不好，您就别操心了！

　　（3）为了创造一个优美的生活环境，让我们大家共同努力吧！

练习
Exercises

1 模仿例子，写出更多的词语

例：赞叹：<u>赞扬　　　赞美　　　称赞　　　夸赞</u>

内涵：_____

晴朗：_____

美妙：_____

豪迈：_____

2 用所给词语完成句子

① 听了他的一席话，我_____。（领会）

② _____，不知道在想什么。（出神）

③ 我们这些老百姓_____。（平凡）

④ 昨天我们_____。（应邀）

⑤ _____，很快就成了无话不谈的好朋友。（投机）

⑥ 他这个人_____。（向来）

3 选择合适的词语填空

美妙　　创作　　精通　　演奏　　难能可贵

① 　　小王酷爱音乐，_____的琴声总能给他带来无尽的享受。有时他会自己_____几曲，有时也自己_____乐曲。虽然他并不是_____音乐之人，可_____的是他一直保有对音乐的热爱。

黎明　　真挚　　不止　　逝世　　坟墓

② 　　爷爷_____已经有段时间了，可每当提到他，奶奶还是泪流_____。从黄昏到_____，奶奶整夜思念爷爷，实在忍不住了，她就到爷爷的_____前，跟他说说话。爷爷奶奶_____的爱情真令人感动。

4 请指出下列语段中是如何运用婉曲这一表达方式的

语段	如何运用婉曲
❶ 有的人从出生到告别人世，从来没离开过自己生活的村庄。	
❷ 聂耳以二十三岁的青春年华，过早的写下了他生命的休止符。	
❸ 因为喝水太多，他没过多久就要去方便一下，让坐在他旁边的乘客很不耐烦。	
❹ 我们家那位啊，真是懒得不成样子。	

5 根据提示，简述课文主要内容

俞伯牙和钟子期相遇的经过	❶ 俞：酷爱音乐、无人领会、江边弹奏 ❷ 钟：打柴人、听得出了神、精通音乐
俞伯牙和钟子期谈话的内容	❶ 雄壮豪迈——高山雄伟壮观 ❷ 曲折激越——波涛汹涌 ❸ 清新流畅——无尽的流水
两人的约定，约定是否实现	❶ 来年中秋再见 ❷ 第二年，俞等待钟 ⟶ 钟未到 ⟶ 听说钟逝世、遗言 ⟶ 俞摔琴
说一说知音的含义	朋友……的情谊

运用
Application
写一写

　　"高山流水遇知音"在中国广为流传，通过俞伯牙和钟子期的故事，人们懂得了知音难觅，知音是多么的宝贵。想一想，你有没有知音？你们的故事是什么样的？请以"我的知音"为题写一下你们相遇、相知的故事，字数不少于400字。

_____

_____

_____

_____

扩展
Expansion
词汇

（1）熟悉下列词语的语素义

附件 ┬ 附：附带
　　 └ 件：文件

撤销 ┬ 撤：除去
　　 └ 销：取消

联盟 ┬ 联：联合
　　 └ 盟：团体

溶解 ┬ 溶：溶化
　　 └ 解：分解

师范 ┬ 师：老师
　　 └ 范：榜样

无辜 ┬ 无：没有
　　 └ 辜：罪

监督 ┬ 监：察看
　　 └ 督：督促

批发 ┬ 批：成批
　　 └ 发：出售

正负 ┬ 正： ①好的，积极的（正面）
　　 │　　②大于零的（正数）
　　 │　　③失去电子的（正极）
　　 │
　　 └ 负： ①坏的，消极的（负面）
　　　　　②小于零的（负数）
　　　　　③得到电子的（负极）

（2）阅读语段，熟悉下列动物生活方面的词语

　　最近，母猫<u>生育</u>了几只小猫，小猫们<u>发育</u>良好，活泼好动，它们与主人一起生活在一所大<u>别墅</u>里。有时候，猫咪们会在花园里找青草吃，难道它们也需要植物<u>纤维</u>？有时候，猫咪们会在沙发旁<u>摩擦</u>自己的皮毛，舒服了，就在阳光下懒洋洋地睡大觉。

人体探秘

Exploring the human body

Unit 8

29 "笑" 的备忘录
A memorandum of laughing

你爱笑吗？你能听出别人是真笑还是假笑吗？怎么分辨出来的？对健康来说，笑是有益的还是有害的？有哪些益处或害处。

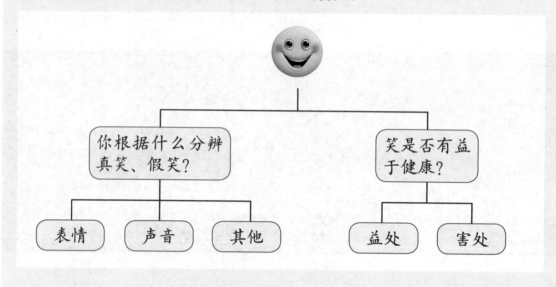

2 想一想下列词语之间有什么联系。

表	表态、表示、表达、表决、表白、表明、表情、表现、表演、表露
违	违心、违反、违背、违法、违抗、违禁、违例、违约、违章、违法乱纪、事与愿违
活	激活、灵活、活动、活络、活水、活血、活扣、活期、活性
隐	隐含、隐藏、隐蔽、隐居、隐瞒、隐秘、隐情、隐忍、隐士、隐私、隐退、隐姓埋名

课文
Text

"笑"的备忘录 （1154字） 🔊 29-1

（一）大脑能"听"出笑声的真假

　　真是岂有此理，难道我们听到庸俗、不上档次的笑话假笑两声、敷衍一下也不可以吗？可是，好像确实不行。诸位，如果你不想难堪，不想让别人发现你发出的是虚伪、违背心意的笑声，你可以回避，可以不表态，可以把话题岔开，可以装聋装哑，但不要画蛇添足，违心地笑。因为只要你笑，不管你多机灵，不管你掩饰得多么周密，别人都能看出你的笑是真心实意，还是虚情假意、装模作样。有人不禁要问，人是通过什么途径识别"笑"背后的真实情感呢？研究者发现，我们在听到发自内心的笑声和虚假的笑声时，大脑会呈现出完全不同的反应。

　　假笑声会激活大脑中用于破译情感信息的特定区域，同时大脑会自动分析假笑的缘故，假笑者想隐瞒什么，以及假笑者的意向；诚挚的笑声则会激活大脑中与快乐和积

生词 🔊 29-2

1. 备忘录	bèiwànglù	
	n. memorandum	
2. 岂有此理	qǐyǒucǐlǐ	
	How unreasonable!	
3. 庸俗	yōngsú	adj. vulgar
4. 档次	dàngcì	n. level
5. 诸位	zhūwèi	pron. everybody
6. 难堪	nánkān	adj. embarrassed
7. 虚伪	xūwěi	adj. hypocritical
8. 违背	wéibèi	
	v. to violate, to go against	
9. 回避	huíbì	v. to avoid, to dodge
10. 岔	chà	
	v. to change the topic or subject of conversation	
11. 装聋装哑	zhuānglóng zhuāngyǎ	
	to pretend to be deaf and dumb, to pretend to be ignorant of sth.	
聋哑	lóngyǎ	
	adj. deaf and dumb	
12. 画蛇添足	huàshé-tiānzú	
	to paint a snake with feet—superfluous	
13. 机灵	jīling	adj. smart, clever
14. 周密	zhōumì	
	adj. careful, thorough	
15. 途径	tújìng	n. way, approach
16. 虚假	xūjiǎ	adj. false, deceptive
17. 特定	tèdìng	adj. specific
18. 缘故	yuángù	n. reason, cause
19. 意向	yìxiàng	
	n. intention, purpose	
20. 诚挚	chéngzhì	adj. sincere

极情绪相关的区域。为了证实这一理论，一丝不苟的研究者让志愿者倾听网站视频中的笑声，同时记录他们大脑的反应，并将志愿者听到真笑与假笑时大脑的反应做对比。测试结果一目了然，志愿者在预先未被告知测试目的的情况下，仅凭直觉就能准确地分辨出假笑声。天呀，人的大脑中竟然深藏着一双能够探测他人喜悦之情真伪的眼睛！

研究者指出："人类大脑对于笑声中所隐含的社会和情感信息非常敏感，这不完全是智商问题。当志愿者听到笑声时，会开启大脑中与心智相关的区域，从而获知他人的情感或精神状态，有些志愿者还动用了大脑中控制运动和感知的部分，进而更精准地提炼出真假笑声背后的信息。"

（二）笑未必是最佳良药

中国人喜欢听相声，因为它逗笑。

"笑有益于健康"几乎得到了全世界的认可，"笑一笑十年少""一笑解千愁"不仅被大家认可，甚至被一些人当作生活的座右铭。中国人深信开怀大笑也好，哈哈傻笑也罢，哪怕是私下里偷偷地笑，都会是生活中最通用，而且管用的治病良方。

有研究证实，笑可以调节情绪，可以促进血液循环和腹肌收缩，100次捧腹大笑所吸收的氧气相当于用桨划船10分钟的吸氧量。有人做过这

21. 一丝不苟	yìsī-bùgǒu	to be scrupulous about every detail
22. 倾听	qīngtīng	v. to listen attentively to
23. 视频	shìpín	n. video
24. 一目了然	yímù-liǎorán	to be clear at a glance
25. 预先	yùxiān	adv. in advance, beforehand
*26. 直觉	zhíjué	n. intuition
27. 探测	tàncè	v. to detect
28. 智商	zhìshāng	n. intelligence
29. 提炼	tíliàn	v. to refine, to extract
30. 相声	xiàngsheng	n. crosstalk
31. 座右铭	zuòyòumíng	n. motto
32. 通用	tōngyòng	v. to be in common use, to be universal
33. 调节	tiáojié	v. to regulate
34. 循环	xúnhuán	v. to circulate
35. 收缩	shōusuō	v. to shrink
36. 氧气	yǎngqì	n. oxygen
37. 桨	jiǎng	n. paddle

样的试验，开怀大笑一整天，可以燃烧掉2000卡路里①，从而帮助消耗脂肪，减轻体重，同时，笑有助于缓解动脉硬化，有助于消除紧张感，这就是笑有利于健康的实质性的证据。

然而，笑，真的是人生旅途中的最佳良药吗？答案似乎不是那么肯定。有研究人员表示，笑也不是有百益而无一害的，有时它还会产生副作用。有医生就碰到过这样的案例：有人在肆无忌惮地笑过后因心跳加速而昏迷，而大笑到"几乎笑破肚皮"可能会导致岔气，心脏不舒服，甚至损坏人体健康。新的研究结果对笑"有百益而无一害"的观点提出了挑战，似乎更倾向于笑不是坏事，但分寸要掌握得恰到好处。可是多数人还是深信，笑的是非无须探讨，任何形式的幽默，伤害风险都不高，其收益则是显而易见的，况且，真是好朋友在一起，高兴了，起起哄，或是遇到了开心事，哪里还顾得上斟酌分寸掌握得恰当不恰当呢？

分别改编自《参考消息》同名文章

38. 试验	shìyàn v. to test, to do an experiment
39. 脂肪	zhīfáng n. fat
40. 动脉	dòngmài n. artery
41. 实质	shízhì n. essence, substance
42. 肆无忌惮	sìwú-jìdàn to act recklessly and care for nobody, to act outrageously
43. 损坏	sǔnhuài v. to damage, to spoil
44. 倾向	qīngxiàng v. to tend to, to be inclined to
45. 分寸	fēncun n. proper limits for speech or action
46. 恰到好处	qiàdào-hǎochù to be just perfect, to be to the point
47. 是非	shìfēi n. right and wrong
48. 探讨	tàntǎo v. to discuss
49. 收益	shōuyì n. profit, gains
50. 起哄	qǐ hòng v. to kick up a fuss
51. 斟酌	zhēnzhuó v. to consider, to think over
52. 恰当	qiàdàng adj. appropriate, proper

① 卡路里：热量的计量单位，符号cal。简称卡。［法calorie］

注释（一）综合注释
Notes 1 预先

"预先"，副词，意思是在事情发生或动作进行之前就采取了某种行动。例如：

（1）那里一年四季都是旅游旺季，到那里去旅行，一定要预先订好旅馆。

（2）大家预先都没有想到，本届绘画展览竟然这么受欢迎。

（3）志愿者在预先未被告知测试目的的情况下，仅凭直觉就能准确地分辨出假笑声。

● **练一练**：用"预先"完成句子

（1）这事她_____，我最近都忙糊涂了，忘了告诉你了。

（2）他_____的是，居然有那么多朋友，在他最困难的时候向他伸出了援手。

（3）古代递送紧急公文也骑马。一天中马该跑多少路，都有规定。从这一站到那一站多远，也规定好了。送公文的到了，吃饱喝足，稍稍休息一下，换一匹_____，继续赶路。

2 ……也好，……也罢

"……也好，……也罢"用以列举，表示在任何情况下都是这样。也可以说"……也好，……也好""……也罢，……也罢"。下文常与"都、也"配合使用。例如：

（1）中国人深信开怀大笑也好，哈哈傻笑也罢，哪怕是私下里偷偷地笑，都会是生活中最通用，而且管用的治病良方。

（2）退休以后别人都养养花，喂喂鸟，可是花也好，鸟也好，都引不起他的兴趣。

（3）开汽车也罢，骑自行车也罢，行进中打电话都会影响注意力与反应能力。

● **练一练**：用"……也好／也罢，……也好／也罢"或者"……也好，……也罢"改写句子

（1）是上学还是工作，只要你自己愿意就行。

（2）考试已经完了，考得好不好，再想也没用了。

（3）不管明天是什么天气，刮风或者下雨，都不能影响我们六点准时出发。

（二）词语辨析

■ 诸——各

	诸	各
共同点	在人称代词"诸位、各位"中意思和用法相同。	
	如：诸位/各位有何意见，请尽量发表。	
不同点	1. 书面语，表示"众、许多"的意思。后边的名词或量词一般都是指人的。一般为固定结构。	1. 表示某一范围内的所有个体，不只指人，还可以指别的事物。
	如：诸位/诸君/诸侯/诸子百家	如：各位/各方/各界/各国
	2. 没有右边这个用法。	2. 表示不止一人做某事或不止一物有某种属性。
		如：①双方各执一词。②院子前后各有一门。
	3. 不能用在动词前面。	3. 可以做副词，放在动词前面，表示"分别""每一个"。
		如：①几种水果他各买了一斤。②他们各想了一个办法。

● **做一做**：判断正误

❶ 亚洲各国首脑都参加了此次会议。　　　　　　　　（　　）

❷ 经过诸方的共同努力，事情终于圆满解决了。　　　（　　）

❸ 三种办法各有优点和缺点，实在难以抉择。　　　　（　　）

❹ 他喜欢读古代诸子百家的著作。　　　　　　　　　（　　）

（三）篇章修辞

■■ 修辞（6）设问

无疑而问，自问自答即设问修辞手法。设问的作用有两个：一是引起读者的注意，启发读者思考；二是便于组织文章，例（2）就使语义的转折过渡自然而简练。例如：

（1）难道我们听到庸俗、不上档次的笑话假笑两声、敷衍一下也不可以吗？可是，好像确实不行。

（2）笑，真的是人生旅途中的最佳良药吗？答案似乎不是那么肯定。

（3）离开了手机，难道会死吗？何不尝试一下一周关机一天？说干就干，索性这礼拜就开始。

● **练一练**：将下列句子改写为设问句

（1）有钱不一定幸福，有朋友，有健康，有自己的事业才会幸福。

_____。

（2）气候真的变暖了，没错，我们的地球每一天都在变化。

_____。

（3）奋斗的人生是最美好的，因为奋斗之中快乐无穷。

_____。

练习 **1** 模仿例子，写出更多的词语
Exercises

例：实质：<u>本质　　　性质　　　品质　　　素质</u>

档次：_____

回避：_____

周密：_____

提炼：_____

2 用所给词语或结构改写句子

① 付出艰苦努力的人什么都没得到，哪有这样的道理啊？　（岂有此理）

_____。

② 我已经提前做好了计划，所以实施起来很顺利。　　　　（预先）

_____。

③ 无论富贵还是贫穷，我对他的爱不会改变。　（……也好，……也罢）

_____。

④ "米"是国际上普遍使用的基本长度单位。　　　　　　（通用）

_____。

⑤ 问题的本质在于某些人缺乏责任心。　　　　　　　　（实质）

_____。

⑥ 明天的会议很重要，发言稿你好好考虑考虑。　　　　（斟酌）

_____。

3 选择合适的词语填空

损坏　　循环　　脂肪　　收缩　　动脉

① 　　心脏每时每刻都在跳动，有规律地_____和舒张，这可以使血液在体内不断_____，因此心脏的重要性不言而喻。而肥胖会导致_____硬化，_____心脏机能。所以减轻体重，减少_____含量是保护心脏重要的一步。

恰当　　周密　　意向　　收益　　一丝不苟

② 　　新产品面世以前，一般要先调查消费者的购买_____，然后经过_____的设计，_____的生产过程，再找一个 _____的时机投放到市场，才能获得可观的_____。

4 请给下面的问句选择对应的答句并连线

问句	答句

❶ 竺可桢走进北海公园，单是为了观赏景物吗？

❷ 如何定义"文明"？

❸ 你也许以为植物都是不能运动的吧？

❹ 雪中何以赠君别？

A. 它是人类所创造的财富的总和，特指精神财富，如文学、艺术、教育、科学，文明涵盖了人与人、人与社会、人与自然之间的关系。

B. 唯有青青松树枝。

C. 不是，他是来观察物候，做科学研究的。

D. 不是。有的植物不但能够运动，而且还会跳舞呢。

5 根据提示，简述课文主要内容

课文（一）

为什么说不要用假笑敷衍别人？	❶ 如果不想……，可以……，可以……，可以……，可以……，但不要…… ❷ 因为只要……，不管……，不管……，别人都能……
人们通过什么途径识别假笑的？	❶ ……激活……特定区域 ❷ ……自动分析……缘故 ❸ 诚挚的笑声会…… ❹ 志愿者的反映
研究结果是什么？	❶ ……对……非常敏感 ❷ 开启……区域，获知……，动用……部分，提炼出……信息

课文（二）

为什么说笑是治病良方？	调节情绪，促进……循环和……收缩，吸氧量，燃烧卡路里，消耗脂肪，减轻体重，缓解动脉硬化，消除紧张感
笑有什么坏处？	因心跳加速而昏迷，岔气，心脏不舒服
怎么笑才健康？	把握分寸

运用
Application ▮ 写一写

　　这篇课文用两篇小短文给我们讲述了跟笑有关的科学知识。人们对假笑很敏感，假笑是怎么被识别出来的？对健康来说，笑有什么益处，有什么坏处，怎么笑才健康？请参考练习5，把两篇课文各缩写成200字左右的短文。

_____

_____

_____

_____

扩展
Expansion ▮ 词汇

（1）熟悉下列近义词

腐朽 ———— 腐败　　　　　　　烘 ———— 烤

焦点 ———— 中心　　　　　　　内幕 ———— 内情

埋葬 ———— 安葬　　　　　　　衔接 ———— 连接

践踏 ———— 摧残　　　　　　　陷阱 ———— 圈套

示意 ——— 暗示   相等 ——— 相当

妥善 ——— 稳妥   贼 ——— 小偷

旋转 ——— 转动   住宅 ——— 住所

呕吐 ——— 吐   正当 ——— 合法

（2）将下列政治方面的词语与其对应的意思连线

共和国   最近一段时间的国内外大事。

领事馆   国家和国家签订的有关政治、军事、经济或文
                    化等方面的权利和义务的文书。

统治   政府、政党、社团根据自己在一定时期内的任务而
                    规定的奋斗目标和行动步骤。

时事   实施共和政体的国家（国家元首和国家权力机
                    关定期由选举产生的政治制度叫共和制）。

条约   凭借政权来控制、管理国家或地区。

纲领   一国政府派驻外国某一城市或地区的外交官员
                    代表机关。

你睡好了吗
Did you sleep well?

热身 **1** 你每天睡得好吗？请分析一下影响你睡眠的因素以及失眠对你的影响。
Warm-up

影响睡眠的因素

工作压力
心事
网络
饮食
其他

失眠对你的影响

脸色不好
疲劳
注意力下降
记忆力下降
慢性疾病
其他

2 想一想下列词语之间有什么联系。

城	城镇、城市、城里、城内、城区、京城、都城、名城、省城、县城
素	词素、语素、毒素、激素、色素、要素、因素、元素、抗生素、维生素、胡萝卜素、褪黑素
抗	抗衰老、抗癌、抗敌、抗旱、抗击、抗灾、抗战、抗震、抗争、抵抗、对抗、反抗
发	诱发、引发、爆发、复发、自发、发生、发病、发出、发电、发疯、发烧、发音、发声、发作

课文
Text

你睡好了吗 （949字） 💿 30-1

对普通人来说，睡觉只是惯例，可是对于患有顽固失眠症的人来说，睡觉却成了难得的奢侈。

近日，中国发布的睡眠指数总得分66.5分，超过36.2%的居民得分低于及格线60分。统计数字显示，睡眠指数的得分随着城市层级的升高而下降，一线城市①的平均睡眠指数为60.3分，三线城市为61.4分，而农村和小城镇得分均在70分以上。可见，当前失眠症正扰乱着人们的情绪，摧残着城市人群的健康。

调查发现，该睡时不睡，是影响成人健康睡眠的重要因素。手机和平板电脑的普及，使睡前上网的习惯日渐盛行，不少人临睡前再过过网瘾成了常态。而电子产品严重的光污染不仅影响了人体褪黑素②的正常分泌，还会使人体生物钟后移，结果就是晚上睡不着，早上睡不醒。

褪黑素是什么？据研究，褪黑素是保证人体健康的重要物质之一，它的职能包括增强人体免疫力、抗衰老、调剂睡眠等。当人体内褪黑素分泌不正常时，人体细胞

生词 💿 30-2

1. 惯例　guànlì　n. routine
2. 顽固　wángù　adj. stubborn
3. 奢侈　shēchǐ　adj. luxurious
*4. 指数　zhǐshù　n. index
5. 居民　jūmín　n. resident
6. 当前　dāngqián　n. current, at present
7. 扰乱　rǎoluàn　v. to disrupt, to disturb
8. 摧残　cuīcán　v. to destroy, to damage
9. 普及　pǔjí　v. to popularize
10. 盛行　shèngxíng　v. to prevail
11. 过瘾　guò yǐn　adj. satisfying a craving
12. 分泌　fēnmì　v. to secrete
13. 职能　zhínéng　n. function
14. 衰老　shuāilǎo　adj. aging
15. 调剂　tiáojì　v. to adjust, to regulate
16. 细胞　xìbāo　n. cell

① 一线城市：中国一线城市、二线城市、三线城市的主要指标包括经济地位、城市规模、城市级别、影响力、辐射力、知名度等。一线城市指对本国的经济、政治具有重要作用的大都市，在城市规模、基本建设、财政收入、消费、对人才的吸引等方面均领先于其他城市，二线城市、三线城市以上指标相对降低。例如北京、上海是一线城市，杭州、南京、苏州、青岛等为二线城市，海口、邯郸、洛阳等为三线城市。

② 褪黑素：melatonin，是存在于从藻类到人类等众多生物中的一种荷尔蒙，它在生物中的含量随每天的时间变化而变化。

组织和器官的作用和活动能力都会受到影响，各种疾病，包括恶性肿瘤，也就是我们常说的癌症，就会随之而来。

除了睡不着，还有人睡不好。中国有睡眠障碍的人约为38.2%，因此，在中国专治睡眠障碍的医生总是供不应求。

睡眠障碍表现为入睡困难，头在枕头上，就是睡不着，翻来覆去瞎折腾，心烦意乱得无法容忍，白天又老是犯困。此外，入睡后噩梦连连，一会儿蹬腿，一会儿挥拳头，不时大声叫喊，也是睡眠障碍的典型症状。

睡眠不足会使人气色不好，行为能力偏离正常轨道，据悉，一个17～19个小时没睡觉的人，其行为能力与一个血液中酒精浓度为0.05%的人不相上下。即便一周内每天少睡两个小时，疲劳也会累积在一起，并在不适宜的场合引发事故，我们曾见过这样一个不可思议的案例，一位技术熟练的老司机把车开上了逆行道，而这就是疲劳驾驶造成的。

此外，长期睡眠不足还会使人注意力下降、表情茫然、丢三落四、情绪起伏不定，动不动就发呆，继而记性越来越差，到了更严重的地步，会思维混乱，健康状况逐步恶化，进而诱发慢性疾病。总而言之，睡眠好

17. 肿瘤	zhǒngliú	n. tumor
18. 癌症	áizhèng	n. cancer
19. 供不应求	gōngbúyìngqiú	The supply is not adequate for the demand.
20. 枕头	zhěntou	n. pillow
21. 折腾	zhēteng	v. to turn from side to side, to toss about
22. 容忍	róngrěn	v. to bear, to tolerate
23. 蹬	dēng	v. to kick
24. 拳头	quántóu	n. fist
25. 不时	bùshí	adv. from time to time
26. 气色	qìsè	n. complexion, look
27. 轨道	guǐdào	n. track, rail
28. 酒精	jiǔjīng	n. alcohol
29. 不相上下	bùxiāng-shàngxià	equally matched
30. 适宜	shìyí	adj. suitable, appropriate
31. 场合	chǎnghé	n. occasion, situation
32. 逆行	nìxíng	v. (of vehicles) to go in a direction not allowed by traffic regulations
33. 茫然	mángrán	adj. blank, vacant
34. 丢三落四	diūsān-làsì	to be forgetful, to miss this and that
35. 起伏	qǐfú	v. to rise and fall, to go up and down
36. 发呆	fā dāi	v. to stare blankly
37. 记性	jìxing	n. memory
38. 地步	dìbù	n. situation, point
39. 混乱	hùnluàn	adj. in chaos, confused, disordered
40. 恶化	èhuà	v. to deteriorate, to worsen
41. 慢性	mànxìng	adj. chronic
42. 总而言之	zǒng'éryánzhī	all in all, in short

坏对人体健康举足轻重，因此，医生呼吁，不要对失眠症状无动于衷，要弄清病因，并根据不同情况竭尽全力进行治疗。

不可否认的是，很多人原本睡眠是没有问题的，导致问题的根源多多少少与不健康的生活方式有关，因此，对付失眠症的方法就是纠正不好的生活习惯，不要糟蹋自己的身体，不要自己迫害自己，不要让坏习惯毁灭我们的健康。

改编自北京卫视《北京你早》节目"2014年中国睡眠指数发布"

43. 举足轻重	jǔzú-qīngzhòng to play a decisive role
44. 呼吁	hūyù v. to appeal, to call on
45. 无动于衷	wúdòngyúzhōng unmoved, indifferent
46. 竭尽全力	jiéjìn quánlì to strain every nerve, to try one's best
47. 根源	gēnyuán n. root, cause
48. 对付	duìfu v. to tackle, to deal with
49. 纠正	jiūzhèng v. to correct
50. 糟蹋	zāotà v. to waste, to spoil
51. 迫害	pòhài v. to persecute, to oppress cruelly
52. 毁灭	huǐmiè v. to destroy, to ruin

注释（一）综合注释

Notes 1 不时

"不时"，副词，表示动作、行为在较短时间内重复或经常发生。可以加"地"。用于书面。例如：

（1）入睡后噩梦连连，一会儿蹬腿，一会儿挥拳头，不时（地）大声叫喊，也是睡眠障碍的典型症状。

（2）这里人喜欢桂花，不管是街边还是庭院，有块地方就有人栽上桂花树，这里的八月，秋高气爽，不冷不热，走在街上，阵阵桂花香不时扑面而来。

（3）天刚蒙蒙亮，世界还没有睡醒，只有不时传来的几声鸟叫提醒我们，新的一天又开始了。

● **练一练**：用"不时"完成句子

（1）房门大开着，说笑声＿＿＿＿＿＿＿＿＿＿＿＿＿＿＿＿＿。

（2）会场上＿＿＿＿＿＿＿＿＿＿＿各种各样的问题，他便耐心地一一回答。

（3）窗台上，妈妈放下的一碗小米＿＿＿＿＿＿＿＿＿＿觅食的鸟儿。

2 ━ 多多少少

"多多少少"是副词"多少"的重叠形式，意思是或多或少。例如：

（1）不可否认的是，很多人原本睡眠是没有问题的，导致问题的根源多多少少与不健康的生活方式有关。

（2）春天遭了雹灾，别人家的桃子都没有收成，我家的果园在山后，多多少少还收了一些。

（3）在火车开动的一刹那，我才发现，尽管自己很想去外面闯荡，可离开父母多多少少还是让自己有些感伤。

● **练一练**：用"多多少少"完成句子

（1）这本书真实地反映了老百姓关心的社会问题，＿＿＿＿＿＿＿＿＿
＿＿＿＿＿＿＿＿＿＿想说的话。

（2）别人有困难，我们理应帮助，这点儿钱数量不多，＿＿＿＿＿＿＿
＿＿＿＿＿＿＿＿＿＿。

（3）一般人都没有专门研究过说话的艺术，但也不能说对于说话一窍不通，大多数人都＿＿＿＿＿＿＿＿＿＿＿＿。

（二）词语辨析

━━ 容忍——忍受

	容忍	忍受
共同点	都有忍耐、承受的意思。	
	如：他的傲慢态度让人实在不能容忍/忍受。	
不同点	侧重表示宽容、忍耐，一般指对他人的行为表现出的态度。	侧重表示把痛苦、困难、不幸的遭遇等勉强承受下来，使用范围比"容忍"广。
	如：①我不能容忍他的错误行为。（✓）②我不能容忍这里炎热的天气。（✗）	如：这里炎热的天气让人无法忍受。（✓）

● **做一做**：判断正误

① 如果你的男朋友有抽烟的习惯，你能容忍吗？　　　　　　（　　）

② 他睡觉时呼噜打得太厉害了，我实在忍受不了。　　　　　（　　）

③ 失去爱人的痛苦让人不能容忍，她夜夜失眠。　　　　　　（　　）

④ 那么多苦难都忍受过来了，这点儿困难算什么？　　　　　（　　）

（三）篇章修辞

■■■ 篇章（4）连接

　　语篇中的连接成分是具有明确含义的词语，通过这些连接词语，我们可以了解句子之间的语义关系。例如：

（1）长期睡眠不足还会使人注意力下降、表情茫然、丢三落四、情绪起伏不定，动不动就发呆，继而记性越来越差，到了更严重的地步，会思维混乱，健康状况逐步恶化，进而诱发慢性疾病。（这段说的是失眠的影响。从开始的"注意力下降"到"继而"，再到"到了更严重的地步"，最后到"进而"，这些连接成分反映了失眠症状变化的顺序，由它们连接起来的是疾病不同阶段的症状表现。）总而言之，睡眠好坏对人体健康举足轻重，因此，医生呼吁，不要对失眠症状无动于衷，要弄清病因，并根据不同情况竭尽全力进行治疗。（"总而言之"为总结关系的连接成分）

（2）睡眠障碍表现为入睡困难，头在枕头上，就是睡不着，翻来覆去瞎折腾，心烦意乱得无法容忍，白天又老是犯困。此外，入睡后噩梦连连，一会儿蹬腿，一会儿挥拳头，不时大声叫喊，也是睡眠障碍的典型症状。（"此外"为延伸表达的连接成分）

● **练一练**：请把下列5个小句组合成2个连贯的语段

A.再者，老年人和年轻人的生活习惯不一样。所以这几年我一直一个人生活。

B.他首先展示了手上的证据，然后说明了证据的来源和意义。

C.因为孩子家的住房都不宽裕，住在一起不方便。

D.他说话不紧不慢，却句句义正辞严，他的话说完了，法庭上一片寂静。

E. 如今孩子们都已长大成人，有了小家，有了自己的孩子。虽然他们都劝我和他们一起生活，可我谁家也不愿意去。

（1）_____　　　（2）_____

1 模仿例子，写出更多的词语

例：当前：<u>当场　　　当地　　　当时　　　当年</u>

惯例：_____

扰乱：_____

容忍：_____

逆行：_____

2 用所给词语完成句子

❶ 不法商贩的行为_____。（扰乱）

❷ _____改变了人们的生活方式。（普及）

❸ 市场上_____。（供不应求）

❹ 他一边走，一边_____。（不时）

❺ 我跟他的_____。（不相上下）

❻ 虽然没什么胃口，但_____。（多多少少）

3 选择合适的词语填空

根源　　气色　　记性　　丢三落四　　折腾

❶　　　最近几个月来，顽固的头疼把他_____得吃不下饭、睡不好觉，_____也很不好。而睡眠不足又使他的_____越来越差，总是_____的。可导致头疼的_____却一直没找到。

摧残　　无动于衷　　癌症　　细胞　　呼吁

❷　　　　一些不良的生活习惯，如抽烟、喝酒、暴饮暴食、晚睡等正_____着人们的健康，这些坏习惯会影响人体_____的活动，进而导致各种疾病，甚至_____的发生。所以医生_____，不要对不良生活习惯_____，要对它们说"不！"

4 根据上下文的连接关系给下列小句排序，组成连贯的语段

A. 孔乙己着了慌，伸开五指将碟子罩住，弯腰下去说道，"不多了，我已经不多了。"

B. 有几回，邻舍孩子听得笑声，也赶热闹，围住了孔乙己。

C. 孩子吃完豆，仍然不散，眼睛都望着碟子。

D. 于是，这一群孩子都在笑声里走散了。

E. 他便给他们茴香豆吃，一人一颗。

排序：_____

5 根据提示，简述课文主要内容

中国发布的睡眠指数情况	❶ 睡眠指数得分 ❷ 一线城市，三线城市，农村和小城镇 ❸ 可见……
影响成人健康睡眠的因素	❶ 电子产品普及 ❷ 光污染导致褪黑素……，生物钟……
褪黑素	❶ 褪黑素的职能 ❷ 当褪黑素分泌不正常时……
睡眠障碍的表现	❶ 入睡困难 ❷ 入睡后……
睡眠不足对人体的影响	气色、行为能力、注意力、表情、情绪、记性、思维、健康状况、慢性疾病
对付失眠症的方法	纠正不好的生活习惯

运用
Application

■ 写一写

　　睡眠障碍是很多现代人面临的问题，课文从中国发布的睡眠指数引入，谈了影响成人健康睡眠的因素、睡眠障碍的表现、睡眠不足对人体的影响以及对付失眠症的方法。请参考练习5，把课文缩写成400字左右的短文。

_____

_____

_____

扩展
Expansion

■ 词汇：看图片，熟悉下列名词

	端午节 端午节人们要吃粽子，划龙舟。		棉花 雪白的棉花像天上的白云。
	化石 科学家们在这儿发现了一些动物化石。		花蕾 花蕾含苞待放。
	卡通 我特别喜欢迪士尼的卡通人物。		雷达 雷达探测到了一些陌生的信号。
	直径 他画的这个圆半径3厘米，直径6厘米。		标本 我制作了一些蝴蝶标本。
	舞蹈 舞蹈总是带给人美的享受。		立方 那儿有三个立方体。

31 运动的学问
Knowledge of physical activity

你关注自己的健康吗？你觉得健康应该包括哪些方面？请举例说明。

健康应该包括哪些方面：

身体：

精神：

心理：

其他：

2 想一想下列词语之间有什么联系。

会	协会、工会、商会、农会、学会、学生会、总会、分会、国会、议会、会长、会员、会费
首	首要、首都、首府、首批、首任、首位、首届、首富、首功、首席
生	生锈、生病、生财、生产、生效、生疑、产生、发生、新生、再生、急中生智、节外生枝
射	放射、反射、照射、直射、折射、辐射、散射、投射、透射、斜射、映射、射线

课文 Text

运动的学问 （1318字） 📀 31-1

记　者：王老师，欢迎您到我们节目来做客。今天来的都是您的忠实观众，大家特别愿意和您这样的大专家进行交流。

王老师："专家"不敢当，有这样的机会，我也很高兴。

记　者：那天采访您，在公园走廊那儿，您和您徒弟是练气功还是练太极剑呢？

王老师：哦，不是徒弟，是气功协会的气功爱好者。

记　者：你们的气功不是那种力量一爆发，能瞬间把好几块砖就给劈开的啊？

王老师：那只是气功的一种。气功还是中国独特的健身方法之一，可以增强体质，促进慢性病康复，还可以辅助治疗某些疾病。

记　者：看来我是误解气功了。最近有个调查，广大群众的健身意识在逐年提升。对于健康，您能对我们说点儿什么吗？

王老师：健康的新概念不仅是不生病，还包括心理健康和社会交往方面的能力，甚至有人提出健康五要素，包括身体、情绪、智力、精神和社交，这五个方面共同构成健康的完美状态。有句名言：生命在于运动，其实健康也在于运动。当然要达到预期效果，怎样运动很重要。

生词 📀 31-2

1. 忠实　　zhōngshí　adj. loyal
2. 不敢当　bùgǎndāng
　　　　　v. to be flattered
3. 走廊　　zǒuláng　n. corridor
4. 徒弟　　túdì　n. apprentice
5. 气功　　qìgōng
　　　　　n. qigong, a system of deep breathing exercises
6. 剑　　　jiàn　n. sword
7. 哦　　　ò　int. oh, ah
8. 协会　　xiéhuì
　　　　　n. association, club
9. 爆发　　bàofā
　　　　　v. to explode, to burst
10. 劈　　　pī　v. to chop, to split
11. 误解　　wùjiě
　　　　　v. to misunderstand
12. 群众　　qúnzhòng
　　　　　n. the crowd, general public
13. 逐年　　zhúnián
　　　　　adv. year by year, year after year
14. 要素　　yàosù　n. element
15. 智力　　zhìlì　n. intelligence
16. 预期　　yùqī
　　　　　v. to expect, to anticipate

记　者：那您就着重跟我们谈谈运动的学问吧。

王老师：要健康，首要问题是勤于运用大脑，人的大脑不用也会生锈。大家知道，人脑左半球主管抽象思维，右半球主管形象思维，二者有分工有联系。左右脑交替使用，思维常可以放射出新的火花。著名科学家钱学森的夫人是音乐家，钱学森的很多重要科学理论不是端端正正地坐在桌子前面想出来的，而是听过音乐之后冒出来的。科学运用左右脑，工作的高效和防止脑衰就成为了可能。大脑潜力巨大，它是人体衰退最慢的器官。一些养生著作中指出，人用脑越勤，大脑各神经细胞之间的联系越多，形成的条件反射也越多。

记　者：大脑就像我们身体的指挥中心，大脑不健康，人就谈不上健康。

王老师：对。其次呢，运动贵在坚持。懒惰是人天生的弱点，所以不要迁就自己，要以坚定的意志，坚韧的精神克服惰性，下狠心咬牙坚持，绝不能半途而废。

记　者：王老师，您怎么好像在说我呢？我就不想虐待自己，所以很难坚持。

17. 首要　shǒuyào
adj. first, of the first importance

18. 生锈　shēng xiù　v. to get rusty

19. 放射　fàngshè　v. to radiate

20. 夫人　fūrén　n. wife

21. 端端正正　duānduānzhèngzhèng
straight, regular (feature)

端正　duānzhèng
adj. straight

22. 潜力　qiánlì　n. potential

23. 衰退　shuāituì
v. to decline, to decay

24. 著作　zhùzuò
n. works, writings

25. 反射　fǎnshè　v. to reflect

26. 弱点　ruòdiǎn　n. weakness

27. 迁就　qiānjiù
v. to accommodate oneself to, to yield to

28. 坚定　jiāndìng　adj. firm

29. 坚韧　jiānrèn
adj. tough and tensile

30. 狠心　hěnxīn
n. heartless, cruel-hearted

31. 半途而废　bàntú'érfèi
to give up halfway

32. 虐待　nüèdài
v. to maltreat, to abuse

王老师：怎么会是虐待呢？你以后联系我，我带你锻炼。咱们有计划，有落实。运动健身归根到底是自己的事，胡乱对付其实是在骗自己，坚持运动也是培养人的意志力、完善人格的过程。

记　者：看来运动真不是小事，还间接体现着我们的品行呢。

王老师：另外，冬季健身好处很多，可以提高人的御寒能力；冬天阳光中的紫外线对人体有消毒作用，还能促进对钙的吸收；冬天空气中二氧化碳浓度比夏天低，所以冬天运动对身体更为有利；运动还可以使人心情舒畅。许多保健食品都宣扬能够促进健康，其实运动才是维护健康最好的方法。

记　者：运动对皮肤是不是也有好处？

王老师：运动能令全身排汗，毛孔内的垃圾及多余油脂会被排走，皮肤自然会更好。

记　者：运动是不是也要讲究科学？

王老师：当然。运动健身要循序渐进，不要急于求成；不适合自己身体状况的剧烈运动或大幅度动作尽量别勉强。

记　者：运动之后，我们常常觉得又渴又饿，运动和饮食之间有什么讲究吗？

王老师：锻炼后是肌肉细胞的"进食时间"，它们渴望得到足够

33. 落实　　luòshí
　　v. to implement, to fulfill

34. 归根到底　guīgēn-dàodǐ
　　in the final / last analysis

35. 胡乱　　húluàn
　　adv. carelessly, casually

36. 间接　　jiànjiē　adj. indirect

*37. 品行　　pǐnxíng
　　n. conduct, behavior

*38. 紫外线　zǐwàixiàn
　　n. ultraviolet rays

39. 消毒　　xiāo dú　v. to disinfect

40. 钙　　　gài　n. calcium

41. 二氧化碳　èryǎnghuàtàn
　　n. carbon dioxide

42. 舒畅　　shūchàng
　　adj. happy, entirely free from worry

43. 宣扬　　xuānyáng
　　v. to advertise

44. 孔　　　kǒng　n. hole

45. 循序渐进　xúnxù-jiànjìn
　　step by step

46. 急于求成　jíyú qiú chéng
　　to be anxious for success

47. 剧烈　　jùliè　adj. intense

48. 幅度　　fúdù　n. range

的蛋白质、水和维生素。运动后的两小时，是补充营养的最佳时机。	49. 蛋白质　dànbáizhì　n. protein
	50. 维生素　wéishēngsù　n. vitamin
记　者：王老师，您真不愧是这方面的专家，以后要是能定期和您做些交流就好了。	51. 不愧　búkuì adv. to be worthy of
	52. 定期　dìngqī adj. regular, periodical
王老师：这是我的联系方式，以后我们可以多联络。希望大家回去以后坚持锻炼，多多保重。	53. 联络　liánluò　v. to contact
	54. 保重　bǎozhòng v. to take care of oneself

注释（一）综合注释

Notes 1 逐

"逐"，介词，意思是挨着（次序）。例如：

（1）最近有个调查，广大群众的健身意识在逐年提升。对于健康，您能对我们说点儿什么吗？

（2）雨季快到了，对大大小小的水库，要逐个检查，以排除安全隐患。

（3）他花了一年多时间，逐字逐句地反复推敲，再三修改，终于完成了整套书的翻译工作。

● **练一练**：请把下列6个小句组合成3个连贯的语段

A.人类要生存和发展，社会要延续和进步，就必须将社会实践中积累起来的经验逐步完善起来

B.他们的小店开门了，由于经营有道

C.并把更成熟、完善的经验传给下一代

D.想当年他们的企业也是国内名牌，短短几个月就开发了十来个新品投放市场

E.同时符合市场需求，营业额逐日增加

F.产品产量逐月提高，资金迅速回笼

（1）　　　　　　（2）　　　　　　（3）

2 归根到底

"归根到底"，插入语，表示从根本上说。也说"归根结底"。例如：

（1）运动健身归根到底是自己的事，胡乱对付其实是在骗自己，坚持运动也是培养人的意志力、完善人格的过程。

（2）世界是你们的，也是我们的，但归根结底是你们的。你们青年人朝气蓬勃，正在兴旺时期，好像早晨八九点钟的太阳，希望寄托在你们身上。

与"归根到底/归根结底"相近的表达方式还有：说到底、从根本上说、一句话、说白了、说穿了等。例如：

（3）地区差别、城乡差别、贫富差别等问题，从根本上说，都是经济社会发展不平衡的问题。

（4）据说国外很多街头艺人都是技艺超群，完全可以到音乐厅去演奏。但为什么他们会在街头或地铁站里表演呢？说白了就是一种生活方式。

● **练一练**：为括号中的插入语选择合适的位置

（1）A他爸爸上周B刚给他寄来了生活费，C他却告诉我没钱，D就是不想借。（说穿了）

（2）从今天起，A她的电话、短信、邮件，B我一概不理，C凡是与她有关的消息我也不听，D我和她彻底绝交了。（一句话，）

（3）所谓史学，A就是B研究和阐述人类社会历史C发展过程D及其规律的一门学科和科学。（说到底）

（二）词语辨析

胡乱——随便

	胡乱	随便
共同点	都可以表示"马虎、不认真"。	
	如：他胡乱/随便吃了两口就走了。	
不同点	1.副词，只能用在动词前边，不能做谓语，不能修饰名词。	1.形容词，可以做谓语，可以修饰名词。
	如：①他在纸上胡乱画了几笔。 （ ✓ ） ②他这个人说话很胡乱。 （ ✗ ）	如：①A：中午吃什么呢？ B：随便。 （ ✓ ） ②他不是个随便的人。 （ ✓ ）

	胡乱	随便
不同点	2. 没有 "AABB" 的重叠形式。	2. 有 "AABB" 的重叠形式。
	如：胡胡乱乱（×）	如：我对他这种随随便便的工作态度很不满。（√）
	3. 没有右边这个用法。	3. 可以做连词，表示 "无论" 的意思。
		如：随便我怎么说，他就是不听。

● **做一做**：判断正误

① 我当时只是随便答应的，没想到他认真了。　　　　　　（　　）

② A: 假期想去哪儿玩儿？

　B: 胡乱。　　　　　　　　　　　　　　　　　　　　（　　）

③ 话剧也好，京剧也好，胡乱什么戏，他都爱看。　　　（　　）

④ 无数事实告诉我们：没有人可以随随便便成功。　　　（　　）

（三）篇章修辞

■■ 修辞（7）大词小用

把一个范围、概念较大的词用在一个范围、概念较小的事物上，以突出渲染，强化读者印象，这一修辞手法叫作大词小用。例如：

（1）王老师：运动贵在坚持。懒惰是人天生的弱点，所以不要迁就自己，要以坚定的意志，坚韧的精神克服惰性，下狠心咬牙坚持，绝不能半途而废。

　　记　者：王老师，您怎么好像在说我呢？我就不想虐待自己，所以很难坚持。

（"虐待" 本指 "用残暴狠毒的手段对待"，课文中的记者只是不能坚持锻炼。）

（2）和朋友冷战了两周后，我们终于在老师的斡旋下恢复了邦交正常化。

（3）忽听一声门响，原来是妈妈大人光临了。

● **练一练**：下列哪句没有使用大词小用的修辞手法

（1）昨天我们俩还一块儿逛街，今天他就不理我了，我一定得找他问个明白。

（2）经过几次谈判，我终于和父母签订了每周打游戏的条约。

（3）小儒放学回家，要看电视。可是又着急上厕所，担心爸爸占用
电视，连忙冲妈妈喊："妈妈，您赶紧来帮我捍卫电视，免得被
爸爸占领了！"

练习
Exercises

1 模仿例子，写出更多的词语

例：坚定：坚韧　　坚持　　坚强　　坚决

走廊：＿＿＿＿＿＿＿＿＿＿＿＿＿＿＿＿

误解：＿＿＿＿＿＿＿＿＿＿＿＿＿＿＿＿

预期：＿＿＿＿＿＿＿＿＿＿＿＿＿＿＿＿

衰退：＿＿＿＿＿＿＿＿＿＿＿＿＿＿＿＿

2 用所给词语完成句子

❶ A: 你对中国了解得如此深入，真是个中国通。

B: ＿＿＿＿＿＿＿＿＿＿＿＿＿＿＿＿＿＿＿＿。（不敢当）

❷ 产品的销量＿＿＿＿＿＿＿＿＿＿＿＿＿＿＿＿＿＿。（逐年）

❸ 面对市场竞争，＿＿＿＿＿＿＿＿＿＿＿＿＿＿＿。（首要）

❹ 对孩子的坏习惯＿＿＿＿＿＿＿＿＿＿＿＿＿＿＿。（迁就）

❺ 无论做什么事情＿＿＿＿＿＿＿＿＿＿＿＿＿。（半途而废）

❻ 他在这个专业成就非凡，＿＿＿＿＿＿＿＿＿＿＿。（不愧）

3 选择合适的词语填空

气功　　徒弟　　群众　　协会　　剑

❶ 　　我是武术＿＿＿＿＿＿的成员，每天我们都在公园里练习，有时练
习＿＿＿＿＿＿，有时练习太极＿＿＿＿＿＿。现在广大＿＿＿＿＿＿的健身意
识都增强了，我还收了好几个＿＿＿＿＿＿呢。

预期　　定期　　钙　　蛋白质　　急于求成

❷　　最近的一次体检结果显示，我有点儿缺_____。大夫让我多晒晒太阳，多补充_____，然后_____到医院检查。但是补钙也不能_____，只要每天坚持，就能达到_____的效果。

4　请指出下列语段中大词小用的例子

语段	大词小用
❶平静的教室里爆发了第三次世界大战。	
❷我从小就喜欢读书。开始，我读的是带拼音的童话书，年龄稍长，我的野心膨胀，开始了移民扩张：获奖的作文和古典名著都成了我涉猎的对象。	
❸初学自行车的我，竟想对一个小土坡发起进攻。我先后退几步，然后上车猛骑过去，"砰！轰！"沙土飞溅，灰尘飞扬，我连人带车摔了个四脚朝天。	
❹爸爸、妈妈和我，在家里谁也不服谁，形成了三国鼎立之势。	

5　根据提示，简述课文主要内容

气功的作用有哪些？	健身、增强……、促进……、辅助治疗……
健康包括哪些方面？	❶不生病、心理、社会交往 ❷健康五要素
运动的学问有哪些？	❶勤于运用大脑：左脑……，右脑…… ❷贵在坚持：不要迁就、不能半途而废、有计划、有落实 ❸冬季健身好处多：紫外线、二氧化碳、心情、皮肤 ❹讲究科学：循序渐进、锻炼后进食

运用
Application ■ 写一写

　　这篇课文告诉我们健康包括哪些方面，要想身体健康，应该怎样运动。运动的学问很大，不但包括身体的运动，还包括大脑的运动。你喜欢运动吗？你运动健身的方式是什么？请以"运动健身好处多"为题写一写你是怎样通过运动保持身体健康的，字数不少于400字。

_____

_____

_____

_____

_____

扩展
Expansion ■ 词汇：熟悉下列词语的语素义

偏差 ── 偏：不正，倾斜
　　　　差：差错

名额 ── 名：名字
　　　　额：规定的数目

致辞 ── 致：向人表达
　　　　辞：言辞

屏障 ── 屏：遮挡
　　　　障：用来遮挡或防卫的东西

倾斜 ── 倾：不正，歪
　　　　斜：不正

清除 ── 清：一点儿不留
　　　　除：去掉

手势 ── 手：人体上肢，腕以下的部分
　　　　势：姿势

挽回 ── 挽：扭转，拉
　　　　回：还，返回

威力 ── 威：使人敬畏的声势
　　　　力：力量，能力

挑衅 ── 挑：搬弄是非，引起纠纷
　　　　衅：争端

压榨 ── 压：对物体施加压力
　　　　榨：用力压出

压制 ── 压：用强力制服
　　　　制：限定，用强力约束

32 有时，不妨悲伤
Sometimes it's good to be sad

中国有句俗话"男儿有泪不轻弹"，你同意吗？你觉得应该怎样面对悲伤？

怎样面对悲伤

找朋友聊天儿
去旅行
购物
吃东西
其他：

2 想一想下列词语之间有什么联系。

正	正直、正常、正规、正经、正路、正派、正气、正确、正式、正义、公正、真正
进	上进、促进、前进、先进、增进、进步、进程、进度、进而、进化、进取、进展、进退、进行
视	鄙视、敌视、忽视、轻视、重视、无视、珍视、正视、仇视、蔑视、藐视、漠视、歧视
神	神仙、神话、神灵、神人、神明、神像、神学、财神、山神、天神

课文 Text

有时，不妨悲伤 （1264字） 💿 32-1

到今天为止，我们的社会对好男人的标准从没有改变过：男人要有责任心，为人正直、宽容、刚毅，不背叛朋友；男人要上进，有抱负，有魄力；男人要谦虚，诚实，大方；男人要有修养，心胸开阔，处境艰难而不退缩，面对打击而不脆弱；男人是生活中的榜样，家庭的靠山，社会的支柱。总之，男人要顶天立地，光彩照人，要有男人的气概。

不仅如此，男人们从小受到的教育就是"男儿有泪不轻弹"，意思是说，理智的男子汉再悲伤也不轻易哭泣，爱哭的男人走到哪儿都会被一票否决，因为男人流泪就意味着软弱、没出息，而这种教育是从娃娃时代就潜移默化地在起作用了，他们天天被这样的古训鞭策着。我们的文化赋予了男人高大、坚强的形象，他们在生活中必须扮演强者。

男人们为了不被鄙视，不被讥笑，为了远离那些恶心、不体面的词汇，千百次暗暗叮嘱自己：伤心是软弱的表现，哪怕遭受打击、面对失败、受尽委屈，也一定要坚强，这是什么时候都不能含糊的。

实际情况是，"男儿有泪不轻弹"是社会文化赋予男人的一

生词 💿 32-2

1. 背叛　bèipàn　v. to betray
2. 上进　shàngjìn
　　v. to be self-motivated
3. 抱负　bàofù　n. ambition, aspiration
4. 魄力　pòlì
　　n. daring and resolution, boldness
5. 开阔　kāikuò　adj. open, broad
6. 处境　chǔjìng　n. situation, position
7. 打击　dǎjī　v. to hit, to strike
8. 脆弱　cuìruò　adj. weak
9. 榜样　bǎngyàng　n. example, model
10. 光彩　guāngcǎi　n. glamor
11. 理智　lǐzhì　adj. rational, sensible
12. 哭泣　kūqì　v. to weep, to sob, to cry
13. 否决　fǒujué
　　v. to veto, to reject, to turn down
14. 出息　chūxi　n. prospects, bright future
15. 娃娃　wáwa　n. baby, child
16. 潜移默化　qiányí-mòhuà
　　to influence imperceptibly
17. 鞭策　biāncè
　　v. to spur on, to urge on
18. 赋予　fùyǔ
　　v. to give, to endow, to entrust
19. 扮演　bànyǎn
　　v. to act, to play the part of
20. 鄙视　bǐshì
　　v. to despise, to disdain
21. 讥笑　jīxiào　v. to laugh at, to gibe
22. 恶心　ěxīn　adj. disgusting
23. 体面　tǐmiàn　adj. respectable, decent
24. 含糊　hánhu　adj. vague, ambiguous

种束缚。男人不是魔鬼，也不是神仙，他们也是有血有肉、有健全情感的人。男人也有喜怒哀乐，也需要关怀，也需要温柔的抚慰，否则，再有力的肩膀也有被压塌的时候。事实表明，长期的压抑、隐忍对健康只有坏处，没有好处，反之，以适当的方式将情绪释放一下，人的心绪才会变得平和。

其实，眼泪是情绪释放的一种形式，人在情绪抑郁时会分泌一种被称为痛苦激素的物质，它会让人情绪低落、无精打采，眼泪恰恰可以将它排出体外。通常人们哭泣后，在情绪强度上会降低40%，如果不能利用眼泪把情绪压力转移掉，则会影响身体健康。

中医认为，忧伤肺。当人难过、想哭的时候，喉咙里会觉得不舒服。喉咙直接通肺，喉咙不舒服，就是肺部受刺激了；人哭起来常常会一把鼻涕一把泪，之所以会流鼻涕，也是肺受了刺激。一旦悲伤难过没有了，也就不再流鼻涕了，喉咙也会舒适起来。这说明，悲伤难过对肺会有影响。伤心难过之际，不妨痛哭。哭完了，一切都得到了修复。因此，不发给男人宣泄情绪的许可证不是正道，男人也有流泪的权利。我们倡导要给男人释放情绪的空间，男人流泪本在情理之中。

25.	束缚	shùfù	v. to bound, to tie
26.	魔鬼	móguǐ	n. devil, demon
27.	神仙	shénxiān	n. immortal, supernatural being
28.	健全	jiànquán	adj. sound, sane
29.	塌	tā	v. to collapse, to fall down
30.	反之	fǎnzhī	conj. otherwise, on the contrary
*31.	激素	jīsù	n. hormone
32.	转移	zhuǎnyí	v. to transfer, to shift
33.	喉咙	hóulóng	n. throat
34.	鼻涕	bítì	n. nasal mucus
35.	之际	zhījì	on the occasion of, during
36.	修复	xiūfù	v. to fix, to restore
*37.	宣泄	xuānxiè	v. to get sth. off one's chest
38.	许可	xǔkě	v. to permit
39.	倡导	chàngdǎo	v. to advocate, to propose
40.	情理	qínglǐ	n. sense, reason

不过，宣泄归宣泄，宣泄时忌讳哭泣时间过长，一般不要超过15分钟，压抑的心情得到发泄、缓解后就不要再哭，否则对身体反而有害。因为人的胃肠机能对情绪极为敏感，忧愁悲伤或哭泣时间过长，胃的运动会减慢，会影响食欲，甚至引起其他胃部疾病。

释放情绪除了哭泣，还应在想法上做调整：扔掉外界对男人流泪的鄙视，因为这种鄙视只是一种狭隘的偏见。不要阻挠男人流泪，男人流泪不等于软弱无用，也并不丧失尊严。男人本身也不必理睬别人说三道四，谁都不能长久地淹没在忧伤、难过的情绪中。偶尔具有负面情绪不是什么坏事，它能让我们更了解自己，让我们成长，让我们更深刻地体悟到什么是快乐。

须知，真正的个人成长往往来自于痛苦、磨难，而非快乐，不要抹杀掉痛苦在我们成长中的功劳。既然悲伤无可避免，就应该好好面对悲伤，不要妄想生命中从不出现这样的过程和阶段。毕竟，快乐往往是短暂的，人生岁月中更多地伴随着的是灰暗的情绪，而它却可以沉淀出智慧。

改编自《参考消息》同名文章

41.	忌讳	jìhuì	v. to avoid as harmful
42.	外界	wàijiè	n. the outside world, the external world
43.	狭隘	xiá'ài	adj. narrow
44.	偏见	piānjiàn	n. prejudice, bias
45.	阻挠	zǔnáo	v. to obstruct, to thwart, to stand in the way
46.	尊严	zūnyán	n. dignity, honor
47.	理睬	lǐcǎi	v. to pay attention to
48.	淹没	yānmò	v. to drown, to overwhelm
49.	须知	xūzhī	v. one should know that, it must be understood that
50.	抹杀	mǒshā	v. to obliterate, to write off
51.	岁月	suìyuè	n. years, time
52.	沉淀	chéndiàn	v. to precipitate

注释（一）综合注释

Notes **1** 哪怕

"哪怕"，连词，与"即使"相同。"哪怕"后跟假设的情况，另一分句常与"也、都"配合，表示这一情况不会对结果或结论产生影响。多用于口语。例如：

（1）哪怕遭受打击、面对失败、受尽委屈，也一定要坚强，这是什么时候都不能含糊的。

（2）她真的老了，记忆力越来越差，哪怕两三天以前的事情，也会记不清。

（3）您放心，我们一定会尽全力抢救病人，哪怕只有一线希望。

● **练一练**：用"哪怕"改写句子

（1）她这个人真奇怪，走路的时候听音乐，吃饭的时候听音乐，就是看书，也要听音乐。

　　_____

（2）渴死了，就算有一口水也是好的。

　　_____

（3）说好了啊，即使晚点儿，你也一定要来。

　　_____

2 反之

"反之"，连词，意思是"从相反的方面说"。用在小句、段落之间，起转折作用，引出与上文相反的意思。"反之"后有停顿。例如：

（1）事实表明，长期的压抑、隐忍对健康只有坏处，没有好处，反之，以适当的方式将情绪释放一下，人的心绪才会变得平和。

（2）有些东西，越是一心想要得到，越是不能如愿，反之，不去在意的时候倒会有意外来临。

（3）经济发展了，百姓的收入增加了，消费能力就强，反之，百姓的消费能力就差。

● **练一练**：完成句子

（1）雨水多，气候就比较湿润，反之，_____。

（2）有了充足的阳光、水分和空气，植物就能生长好，反之，＿＿＿＿
＿＿＿＿＿＿＿＿＿＿＿。

（3）不断地积累，经验就会丰富起来，反之，＿＿＿＿＿＿＿＿＿＿。

（二）词语辨析

■■■ 许可——允许

	许可	允许
共同点	动词，都有"准许、可以"的意思。	
	如：得到许可/允许，方可入内。	
不同点	1. "许可"后边不能带宾语。	1. "允许"后边可以带宾语。
	如：①他许可我在这儿拍照。 （×） ②我在这儿拍照得到了他的许可。（√）	如：他允许我在这儿拍照。（√）
	2. 可以修饰名词。	2. 不能修饰名词。
	如：许可证　　　（√）	如：允许证　　　（×）

● **做 一 做**：判断正误

❶ 私人物品，未经许可，不得动用。　　　　　　　　　　　（　　）
❷ 学校有明文规定：教室里不许可抽烟。　　　　　　　　　（　　）
❸ 妈妈允许我每天玩儿半个小时游戏。　　　　　　　　　　（　　）
❹ 公司的经营允许证终于申请下来了。　　　　　　　　　　（　　）

（三）篇章修辞

■■■ 修辞（8）排比

　　把结构相似、内容相关、语气一致的词语或句子排列起来，使语势更强，表达效果更好，这样的修辞方法叫排比。排比句多用于说理或抒情。用排比说理，可以把观点叙述得更严密、透彻；用排比抒情，可以把情感抒发得更加充分。例如：

　　（1）蔚蓝的天空，飘浮的白云，摇摆的树影，更衬托出梯田的壮美。

（2）没有理想，人生就如荒漠，没有生气；没有理想，人生就如黑夜，没有光明；没有理想，人生就如迷宫，没有方向。

（3）男人要有责任心，为人正直、宽容、刚毅，不背叛朋友；男人要上进，有抱负，有魄力；男人要谦虚，诚实，大方；男人要有修养，心胸开阔，处境艰难而不退缩，面对打击而不脆弱……

● **练一练**：指出下列哪句不是排比句

（1）床前明月光，疑是地上霜，举头望明月，低头思故乡。

（2）拥有青春，就拥有了一份灿烂和辉煌；拥有知识，就拥有了无限的力量和财富；拥有友情，就拥有了一份理解和支持。

（3）处理问题必须瞻前顾后，不仅要看到眼前，还要看到以后；不仅要看到局部，还要看到全局；不仅要了解中国国情，还要了解世界局势；不仅要看到世界发展对中国的影响，还要看到中国发展对世界的影响。

练习 **1** 模仿例子，写出更多的词语
Exercises

例：否决： 否认　　　否定　　　是否　　　可否

光彩： _____

赋予： _____

讥笑： _____

鄙视： _____

2 用所给词语改写句子

❶ 老一辈教育家强调："教育要从小孩子抓起"。　　　　　　　（娃娃）

_____。

❷ 他这种不劳而获的行为被大多数人瞧不起。　　　　　　　　（鄙视）

_____。

❸ 由于智力有问题，他从小就经常被村里的孩子们笑话。　　　（讥笑）

_____。

④ 衣服只要干净就行，就算旧点儿也没关系。 （哪怕）

_____。

⑤ 一切从实际出发，我们的事业就能顺利发展，相反，就会遇到挫折。

（反之）

_____。

⑥ 为了不让那两家公司成功合作，他想尽办法进行阻止。 （阻挠）

_____。

3 选择合适的词语填空

开阔　　背叛　　榜样　　打击　　上进

① 　　爸爸一直是我的_____，他很坚强，面对_____从不退缩；他为人正直，从不_____朋友；他心胸_____，积极_____，是个顶天立地的男子汉。

脆弱　　喉咙　　忌讳　　鼻涕　　修复

② 　　最近我的身体不太舒服，_____痛，还打喷嚏，流_____，可能是感冒了。生病时身体很_____，也最_____过于劳累，因此我打算减少工作量，去父母家住几天，好好休息，让身体进行自我_____。

4 请给下面的排比句连线组成一段话并朗读

① 大理花多，　　　　　　　　A.娇得文学家想不出词句来描绘。

② 大理花艳，　　　　　　　　B.香得外来人一到这苍山下，洱海边，顿觉飘飘然不酒而醉。

③ 大理花娇，　　　　　　　　C.多得园艺家定不出名字来称呼。

④ 大理花香，　　　　　　　　D.艳得美术家调不出颜色来点染。

5 　根据提示，简述课文主要内容

社会对好男人的标准是什么？	男人要……；要……；要……；要……；是……。总之……
为什么"男儿有泪不轻弹"？	理智的男子汉……，爱哭的男人……，男人流泪意味着……。这种教育……，……赋予男人……
为了不被讥笑，男人经常怎么办？	为了不被……，不被……，为了远离……，……叮嘱自己……
"男儿有泪不轻弹"对不对？	束缚，男人不是……，也有……，也需要……，否则……
为什么说眼泪是情绪释放的一种形式？	抑郁时分泌……，眼泪可以排出……，转移……
哭有什么学问？	忧伤肺，修复……，宣泄……，倡导……，忌讳……，过度哭泣，胃肠……
除了哭泣以外，还应该如何释放情绪？	调整想法：扔掉……，不必理睬……，更了解……，不要抹杀……，好好面对……

运用　■　写一写
Application

　　"男儿有泪不轻弹"是一种传统观念，教育男人无论多么悲伤都不要轻易哭泣，可其实这并不科学，男人的压力和情绪也需要宣泄，"哭"是情绪释放的一种方式，哭有益于健康，男人不妨一哭。请参考练习5，把课文缩写成400字左右的短文。

扩展
Expansion

词汇：熟悉下列词语搭配

词汇	搭配	例句
出卖	出卖朋友/出卖国家	他绝不会为金钱、利益出卖良心。
煎	煎茶/煎药	不知从哪里飘来了煎牛排的香味。
捎	捎话/捎件衣服	麻烦您把这几样东西捎给我妹妹。
秃	光秃秃	天气暖和了，光秃秃的树枝上冒出了新芽。
磨合	磨合期	经过一段时间的磨合，他们俩的双打配合得别提多默契了。
渣	面包渣	这种再生纤维是用木材、竹子、甘蔗渣等天然物质制成的。
染	染发	她家从来都是窗明几净，纤尘不染。
壮烈	壮烈牺牲	他们的爱情注定是悲剧，是带有壮烈色彩的悲剧。
辩证	辩证法	要注意培养学生的辩证思维能力。
公关	公关部门/公关活动	"公关"是"公共关系"的简称。
纪要	新闻纪要/会议纪要	这是一份完整的会议纪要。
清真	清真寺/清真食品	我最喜欢这家清真饭馆了。
蒸发	水分蒸发	天气炎热，刚下过雨，路上的水马上就蒸发了。
片断	文章片断/生活片断	我对这件事的记忆已经不完整了，只是一个个的片断。
集团	政治集团/集团公司	几家报社联合起来，组建了一个大的报业集团。

古今博览
Reading extensively

Unit 9

33 怀念慢生活
Cherishing the memory of slow life

现在你的生活节奏怎么样？你是不是被紧张的生活所困扰？请对照下表看看有没有跟自己一样的情况，你认为应该怎么解决这种状况？

	你每天的生活紧张吗？	是/否
	你常常觉得累吗？	
	你的情绪怎么样？容易生气和着急吗？	
	你最近压力大吗？	
	如果你每天很紧张、很累、压力很大、情绪变坏，你该怎么办？	

2 想一想下列词语之间有什么联系。

速	速度、时速、匀速、车速、超速、风速、高速、光速、航速、音速、转速、加速、减速、变速
终	终点、终场、终极、终结、终止、年终、期终、始终、最终、有始有终
威	威风、威力、威名、威望、威武、威信、威严、权威、示威、八面威风
源	电源、财源、根源、光源、贷源、来源、能源、热源、资源、起源、本源、渊源、源流

课文 Text 怀念慢生活 （1369字） 🔘 33-1

为期三天的假期，我和儿时的好友结伴去西安旅行。

去时乘高铁①，车程6小时。列车缓缓离开了车站，很快就以征服一切的气势甩开窗外的景致，以300公里的时速跨过了桥梁，穿越了平原。车窗外，模糊的景象夹杂着西北②的风沙呼啸而过。坐在宽敞座椅中的人们，享受着齐全的软硬件设施，看电影的看电影，打电话的打电话，更多的则是把自己封闭在小小的手机屏幕中，不是用语言，而是用符号传递着各自的情感。寄情于虚拟世界的网迷们对喧哗的现实流露出的是不屑一顾的冷淡。伴随着"终点站到了"的广播，我和朋友像千千万万旅途中的人们一样，没等车停稳，就兴冲冲地守候在车门口，迫不及待地投入到西安滚滚的人流中。

三天的旅行很快就结束了，我们回程坐特快，将近13个小时的硬座③。列车没有了高铁的威风，不紧不慢地开出了车站，不温不火地匀速前行，仿佛知道一路上将会演绎出许许多多的故事。不久我就发现硬座车厢信号很差无法上网；灯光昏暗无法看书；没有电源，耗尽了电量的手机无法充

生词 🔘 33-2

1. 为期　wéiqī
   v. for a period of, for a term of
2. 征服　zhēngfú
   v. to conquer
3. 桥梁　qiáoliáng
   n. bridge
4. 平原　píngyuán
   n. plain
5. 夹杂　jiāzá
   v. to be mixed up with
6. 呼啸　hūxiào
   v. to roar, to howl
7. 宽敞　kuānchang
   adj. spacious
8. 齐全　qíquán
   adj. complete
9. 封闭　fēngbì
   v. to close, to seal
10. 符号　fúhào
    n. symbol, sign
11. 喧哗　xuānhuá
    adj. tumultuous, noisy
12. 不屑一顾　búxiè yígù
    to not spare a glance for
13. 威风　wēifēng
    n. panache, awe-inspiring bearing
14. 演绎　yǎnyì
    v. to interpret, to act out
15. 电源　diànyuán
    n. power supply

---

① 高铁：高速铁路。指能以200千米/小时以上的速度高速运行的客运铁路。中国目前的火车主要分下列几类：G-高速动车、D-动车组、C-城际列车、K-空调快速、T-空调特快、Z-直达特快和无字母开头的普客/普快，Y和N字头的列车比较少，一般都为省内旅游列车。

② 西北：指中国西北地区，包括陕西省、甘肃省、青海省、宁夏回族自治区、新疆维吾尔自治区和内蒙古自治区西部。

③ 硬座：中国火车座位票分为硬座和软座，卧铺票分为硬卧和软卧，高铁、动车分一等座和二等座以及商务座。

电；人多嘈杂混乱得睡不着觉，闭塞的车厢里，我们像是回到了50年前。朋友忽然说："其实有时候吧，我还挺喜欢这种感觉的，只有这时候，人和人之间才有种久违的亲近感，也许是因为我们手头都没有事情，愿意彼此分享和倾听。"之后发生的一切，都像是在证明朋友的话是对的。

昏暗的灯光下，我和朋友开始聊天儿。她讲起小学的时候，班里颇具正义感的女生李芳芳如何见义勇为，在洪水中英勇救人；我感叹初中时，班里那个贵族气十足的男生，他叫……唉，一时竟忘了他叫什么名字。他16岁到了农村，从播种开始学习，后来长成了个精壮的汉子，改革开放后第一批承包了土地，就此发家致富，他简直就是一代人中的奇迹。我们想起小学的地理老师，讲课的时候总会带出些方言，班里调皮的男生千方百计跟她捣乱，弄得老师狼狈不堪，那会儿的我们真是幼稚得可笑。还有，中学我们班那个料事如神的诸葛亮……火车上，我们边回忆边开心地笑着，好像很久很久都没有这么纯粹地开心过了。

说笑累了，朋友看着窗外，我则观察着周围的人们。坐我对面的像是一对双胞胎姐弟，他们正在聊家常。姐姐轻声细语，回顾着陈年往事：改革开放后的第一年，弟弟考上了大学，瞬间，这消息成了方圆百里的爆炸

16. 闭塞	bìsè	
	adj. occluded, blocked	
*17. 久违	jiǔwéi	
	v. long-lost, long-awaited	
18. 正义	zhèngyì	
	adj. just, righteous	
19. 见义勇为	jiànyì-yǒngwéi	
	to do boldly what is righteous	
20. 洪水	hóngshuǐ	n. flood
21. 英勇	yīngyǒng	
	adj. heroic, brave	
22. 贵族	guìzú	
	n. noble, aristocrat	
23. 播种	bō zhǒng	v. to sow
24. 承包	chéngbāo	
	v. to contract (with)	
25. 方言	fāngyán	n. dialect
26. 捣乱	dǎo luàn	
	v. to make trouble	
27. 狼狈	lángbèi	
	adj. in a mess, in a difficult position	
28. 幼稚	yòuzhì	
	adj. childish, naïve	
29. 双胞胎	shuāngbāotāi	n. twins
30. 家常	jiācháng	
	n. the daily life of a family	
31. 回顾	huígù	
	v. to review, to look back on	
32. 往事	wǎngshì	n. the past
33. 方圆	fāngyuán	
	n. surrounding area	
34. 爆炸	bàozhà	
	v. to explode, to go off, to blow up	

性新闻。那一年过春节弟弟在学校没回家，家里节过得别提多冷清了，对联都懒得贴。虽然弟弟写信来拜年，可全家都觉得没了天伦之乐。那一年除夕、元宵节，不，是整个正月都过得没了生气，爸妈大年初一连寺庙都懒得去，天天感叹孩子翅膀硬了就要飞了，眼神中流露着失落。隔着过道坐着一对新婚的夫妇，新郎新娘一边给大家分发喜糖，一边说他们是旅行结婚的，顿时，整节车厢都热闹起来了，有人提议新郎新娘唱支歌，大家立刻鼓掌响应，那新郎一看就是个老实人，脸憋得通红，说他是社区物业干维修的，就会干活儿，不会唱歌，不过他媳妇不光贤惠，歌也唱得好，就让媳妇代表了，果然新娘张嘴就惊动了整节车厢，掌声、赞美声响成一片，现场简直就像联欢会一样，而我们对面角落里坐着的漫画家，早就用画笔记录下了眼前的一切。

......

我和朋友不由得感叹，现代交通的确高效，人们随意打发着路上的时间，仓促间投入目的地的怀抱，早就忘了其实沿途的风景也是旅途的一部分，人和人之间无拘无束的交流也是人生最宝贵的财富。若不如此，我们又怎么会读到古人在那一束月光，一叶小舟，或者在那青山绿水间所寄托的情感呢！

35.	对联	duìlián n. couplet
36.	拜年	bài nián v. to pay a New Year call
37.	天伦之乐	tiānlúnzhīlè the happiness of a family union
38.	元宵节	Yuánxiāo Jié n. the Lantern Festival
39.	正月	zhēngyuè n. the first month of the lunar year
40.	寺庙	sìmiào n. temple
41.	眼神	yǎnshén n. expression in one's eyes
42.	新郎	xīnláng n. bridegroom
43.	新娘	xīnniáng n. bride
44.	响应	xiǎngyìng v. to respond
45.	社区	shèqū n. community, residential community
46.	物业	wùyè n. property, real estate
47.	媳妇	xífu n. wife
48.	贤惠	xiánhuì adj. (of a woman) virtuous
49.	惊动	jīngdòng v. to shock, to startle
50.	现场	xiànchǎng n. site, spot
51.	联欢	liánhuān v. to get together, to party
52.	漫画	mànhuà n. cartoon, comics
53.	仓促	cāngcù adj. hasty, hurried
54.	无拘无束	wújū-wúshù unrestrained, unfettered
	拘束	jūshù v. to restrain, to restrict
56.	束	shù m. beam
57.	舟	zhōu n. boat

改编自《北京青年报》文章《从前慢》，作者：莲的心事

注释（一）综合注释
Notes 1 A的A，B的B

"A的A，B的B"格式，表示对某一事物几种情况的列举，用于口语。例如：

（1）进了果园，大家看到一树的桃，红的红，绿的绿，漂亮极了。

（2）坐在宽敞座椅中的人们，享受着齐全的软硬件设施，看电影的看电影，打电话的打电话……

（3）信号灯变绿了，前面的汽车还是不走，后面一长串汽车的司机按喇叭的按喇叭，探头的探头。

● 练一练：请把下列6个小句组合成3个连贯的语段

A.那一年，爸爸病了，爷爷奶奶年岁已高，我们姐弟年龄还小

B.玩儿了一天，大家饿的饿，渴的渴

C.迫不及待地想吃顿可口的饭菜

D.晚会上，大家唱的唱，跳的跳

E.一家子老的老，小的小，病的病，妈妈愁得不得了

F.高兴得不得了

（1）　　　　　　　（2）　　　　　　　（3）

2 一时

"一时"做副词时，主要意思有两个。

① 表示行为临时、偶然或突然地发生。例如：

（1）我感叹初中时，班里那个贵族气十足的男生，他叫……唉，一时竟忘了他叫什么名字。

（2）接到丈夫病危的电话，她一时心急，连门都没有锁，就冲出家门，直奔医院而去。

② 重复使用，表示不同行为交替发生。跟"时而"相同。例如：

（1）他吃了药，好些了，身上一时冷，一时热的情况没有了。

（2）高原上天气变化大，一时太阳当空，一时阴雨绵绵是常有的事。

● 练一练：给"一时"选择适当的位置

（1）见了面A觉得似曾相识，B可C又记不起来D在哪儿见过。

（2）A他一不留神，B从台阶上重重地C摔了下来，D动弹不得。

（3）买房子是A大事，B要考虑清楚，可C不能凭D冲动。

（二）词语辨析

■ 现场——当场

	现场	当场
共同点	都有"在发生某事的时候和场所"的意思。	
	如：他现场/当场把这种新的技术演示了一次。	
不同点	1. 名词，直接进行生产、演出、比赛、试验等的场所，强调地方。后边可以带名词。	1. 副词，就在那个地方和那个时候，强调时机。后边只能跟动词。
	如：现场参观/现场演出/现场直播/现场会议	如：当场出丑/当场抓获/当场死亡
	2. 发生案件、事故或自然灾害的场所以及该场所当时的状况。	2. 没有左边这个用法。
	如：地震过后，现场一片狼藉。	

● **做一做**：选择"现场"或"当场"填空

① 昨天公司被偷了，警察要求保护_____，以便取证。

② 昨天那里发生了严重的交通事故，司机_____死亡了。

③ 终于看到了我喜爱的明星的_____演唱会。

④ 大家都吓坏了，小王甚至_____哭出了声。

（三）篇章修辞

■ 修辞（9）借代

不直说某一事物的名称，而是借用另一种说法来表现，在修辞手法中叫借代。例（1）中就是把"我们班那个料事如神的同学"直接称作"诸葛亮"。例如：

（1）还有，中学我们班那个料事如神的诸葛亮……

（"诸葛亮"是三国时代著名人物，有智慧，且能在事前准确地预料到事情的结果，在中国人民心中已成了智慧的代称，例子中用来代替"料事如神的同学"）

（2）这个小眼镜就是我的儿子。

（用小眼镜借代"戴着小眼镜的人"）

（3）汽车停下来，等待放了学的小黄帽们过马路。

（用小黄帽借代"戴着小黄帽的小学生"）

●**练一练**：下面句子中，每句带下划线的词中都有一个不属于借代，请指出

（1）<u>大胡子</u>边说话边乐呵呵地朝我走来。

（2）为了全家的<u>面包</u>，我也要好好<u>工作</u>呀。

（3）他的<u>狡猾</u>是出了名的，我们都很了解这只<u>老狐狸</u>。

练习
Exercises

1 模仿例子，写出更多的词语

例：方言：<u>语言　　言论　　传言　　谎言</u>

宽敞：_____

齐全：_____

封闭：_____

演绎：_____

2 用所给词语或结构完成句子

① 公司打算_____。（为期）

② 运动场上，大家_____。（A的A，B的B）

③ 路途遥远，_____。（一时）

④ _____，他感慨万分。（回顾）

⑤ 为了_____，大家积极行动起来。（响应）

⑥ 不好意思，_____。（仓促）

3 选择合适的词语填空

贤惠　　新郎　　新娘　　现场　　回顾

① 　　昨天我参加了一对年轻人的婚礼，_____帅气能干，_____
不但漂亮，而且_____。两人_____了恋爱时的点点滴滴。大家
的掌声、笑声响成一片，婚礼_____成了欢乐的海洋。

正月　　对联　　天伦之乐　　家常　　拜年

❷　　春节是中国最重要的传统节日，家家户户都贴＿＿＿＿＿＿，包饺子，放鞭炮。在外地工作的儿女们，无论有多远，都要赶回家，陪父母聊聊＿＿＿＿＿＿，帮父母做做家务，共享＿＿＿＿＿＿。＿＿＿＿＿＿初一，亲朋好友们互相＿＿＿＿＿＿，共同祝愿新的一年一切顺利。

4　请指出下列语段中借代的用法

语段	……借代……
❶ "老李，你有些不舒服吗？你生病了吗？"一个花白胡子问道。	
❷ 几千双眼睛都盯着你呢，你肩上的责任很重啊。	
❸ 要爱护这里的一草一木，不能拿群众的一针一线。	
❹ 远远的，一个可爱的小红帽一蹦一跳地走过来。	

5　根据提示，简述课文主要内容

去时乘坐高铁的情形	车程，时速，车窗外，车里的人们（A的A，B的B，更多的……，寄情于……），终点站……
回程与去时有何不同？	车程，速度，网络信号，灯光，电源，环境
我跟朋友在车上聊了些什么？	❶ 朋友：见义勇为的李芳芳 ❷ 我：贵族气十足的男生 ❸ 我们：小学地理老师，我们班的诸葛亮
我周围的人在做什么？	❶ 双胞胎姐弟：弟弟考上大学，春节没有回家，家里…… ❷ 新婚小两口：分发喜糖，新郎……，新娘……，唱歌……
我们的感受	现代交通……，人们早已忘了……，……是人生最宝贵的财富

运用
Application

■ 写一写

这篇课文通过一次旅行去程和回程的对比，告诉我们在现代人的生活中，快速的生活节奏让我们忘掉了很多美好的东西，其实我们需要在紧张的生活中慢下来，尽情享受一下慢的乐趣。请参考练习5，把课文缩写成400字左右的短文。

_____

_____

_____

_____

扩展
Expansion

■ 词汇：熟悉下列词语的语素义

验收 —— 验：察看，查考
　　　　 收：接受

团结 —— 团：会合在一起
　　　　 结：组织，结合

界限 —— 界：不同事物的分界
　　　　 限：指定的范围

签署 —— 签：亲自写姓名或画记号
　　　　 署：签名

共鸣 —— 共：在一起，一齐
　　　　 鸣：发出声音，使发出声音

测量 —— 测：用仪器确定空间、时间、温度、速度、功能的有关数据
　　　　 量：用尺子等可作为标准的东西来确定事物的大小、多少或其他性质

武装 —— 武：关于军事的
　　　　 装：配置

整顿 —— 整：整理
　　　　 顿：处理，安置

充当 —— 充：担任
　　　　 当：担任

包庇 —— 包：隐藏，掩盖
　　　　 庇：遮蔽，掩护

发动 —— 发：开始行动，引起行动
　　　　 动：改变原来的位置或状态

指示 —— 指：指点，引导
　　　　 示：表明，把事物拿出来或指出来使人知道

34 为文物而生的人
A person who was born for cultural relics

热身 1 请对照图片熟悉下列物品的名称，并说一说你在哪儿见过这些东西。
Warm-up

斗彩（dòucǎi）

糖葫芦（tánghúlu）

陶瓷（táocí）

古玩（gǔwán）

2 想一想下列词语之间有什么联系。

衣	衣着、衣服、衣柜、衣架、衣领、衣物、大衣、衬衣、风衣、毛衣、上衣、睡衣、外衣
家	收藏家、鉴定家、科学家、艺术家、画家、作家、文学家、政治家、音乐家、名家、专家、大家
册	造册、注册、表册、分册、画册、名册、史册、手册、书册、账册、纪念册、册子
丰	丰厚、丰产、丰富、丰满、丰茂、丰年、丰盛、丰收、丰硕、丰足、丰裕、丰衣足食、五谷丰登

课文 Text

为文物而生的人 （1299字）🔘 34-1

几十年前，北京街头远不及今天繁华。清晨，朝霞还没铺满天空，一位衣着朴素、性情温和的老人，坐着一路颠簸的公共汽车去上班。到站了，他慢慢地从车上走下来，走过他熟悉的大街小巷，步行到故宫博物院。他就是著名的古陶瓷收藏家、鉴定家孙瀛洲①。

对于孙瀛洲和他的家人来说，1956年是个值得记忆的年头，那一年孙瀛洲将自己精心收藏的3000余件文物无偿赠送给了故宫博物院，其中的斗彩②三秋杯更是格外引人注目。

孙瀛洲的女儿孙女士至今仍记得当年的情景。那些日子，家里人来人往，络绎不绝，人们忙着对捐献的文物登记造册，之后，故宫的同志就该来打包装箱了。那晚，父亲把全家叫到一起，从准备捐出的几百盒珍贵文物中找出一个精致的小盒子，取出两个小瓷杯给全家看。他说这是咱家最值钱的东西，故宫里也没有，明天就捐给故宫了，今天让你们看看。父亲说话时脸上充满了自豪。

大家专注地看着父亲手里那对造型秀巧，杯体轻灵、洁白的斗彩瓷杯：杯体色调柔和宁静，搭配的图案是两只

生词 🔘 34-2

1. 霞	xiá
	n. morning or evening glow
2. 朴素	pǔsù
	adj. plain, simple
3. 温和	wēnhé
	adj. mild, gentle
4. 颠簸	diānbǒ
	v. to bump, to jolt
5. 巷	xiàng
	n. lane
6. 陶瓷	táocí
	n. pottery and porcelain
7. 收藏	shōucáng
	v. to collect
8. 鉴定	jiàndìng
	v. to authenticate
9. 无偿	wúcháng
	adj. free of charge, for free
10. 赠送	zèngsòng
	v. to give as a present
11. 络绎不绝	luòyì bù jué
	to come and go in a continuous stream
12. 文物	wénwù
	n. cultural relic, historical relic
13. 同志	tóngzhì
	n. comrade
14. 打包	dǎ bāo
	v. to pack
15. 搭配	dāpèi
	v. to match
16. 图案	tú'àn
	n. pattern

①孙瀛洲：（1893-1966），男，中国著名古陶瓷鉴定专家。
②斗彩：又称"逗彩"。中国传统制瓷工艺的珍品。斗彩瓷器流传下来的不多，实物非常罕见。

在山石花草间飞舞的蝴蝶，淡雅清爽，赏心悦目。相传这对杯子是当年皇帝专门下旨烧制的，不是烧给皇后，而是烧给一位爱妃①。当时共烧成5对，选出这一对后，其余4对全部销毁，并将烧制杯子的手艺人处死，烧制工艺就此失传，而这对凝聚着先人智慧结晶的杯子也就成了存世孤品。

也许有人要问，这孙瀛洲到底什么来历？家藏竟然如此丰厚？

孙瀛洲的籍贯是河北，他13岁到北京，在古玩店做学徒、伙计，之后做过采购、副经理。1923年他自己创业，开办了古玩店。由于经营有方，又收藏有大量珍贵文物，孙瀛洲在当时的古董经营者中很有威望。

孙女士感慨道，尽管当年家中私藏丰厚，但他们生活却非常简朴，甚至有些吝啬，举个例子吧，过年时孩子们吃的糖葫芦都是孙瀛洲自制的。他对孩子尚且如此，对自己的那份节俭也就不难想象了。可是，为了收购绝世珍品斗彩三秋杯，他却是不惜重金。正是这种对陶瓷执着的热爱，使孙瀛洲收藏了数量可观的陶瓷精品。

孙瀛洲的子女们说，父亲来到这个世界好像只有一个神圣的使命——保护文物。他全身心投入到文物当中，生活在文物当中。有人

17. 皇帝	huángdì	n. emperor
18. 皇后	huánghòu	n. empress, wife of an emperor
19. 销毁	xiāohuǐ	v. to destroy by melting or burning
20. 手艺	shǒuyì	n. handicraft, craftsmanship
21. 凝聚	níngjù	v. to agglomerate, to embody
22. 结晶	jiéjīng	n. crystallization, fruit, product
23. 籍贯	jíguàn	n. the place of one's birth or origin
24. 采购	cǎigòu	n. purchase
25. 创业	chuàngyè	v. to start an undertaking or a business, to do pioneering work
26. 威望	wēiwàng	n. prestige
27. 吝啬	lìnsè	adj. stingy, miserly
28. 尚且	shàngqiě	conj. even
29. 不惜	bùxī	v. to not spare, to not scruple
30. 可观	kěguān	adj. considerable
31. 神圣	shénshèng	adj. sacred, holy
32. 使命	shǐmìng	n. mission

---

① 爱妃：妃（fēi），皇帝娶的皇后之外的女子。爱妃：皇帝宠爱的妃子。

问他们怎样看待当年父亲捐赠的义举？要是在今天，你们这些做家属的会支持父亲吗？他们回答："今天我们也会拥护父亲的选择，就像父亲捐出这些文物不是为了表彰，不是为了荣誉，不是为了奖励，也没想得到什么称号一样，这些东西本就属于国家，属于全人类。"孙家后人很争气，他们不想沾父亲的光，父亲留给他们最大的财富就是高洁的品质。

1956年，孙瀛洲受聘于故宫博物院从事古陶瓷研究、鉴定工作。他很乐意接受这份工作，工作中更是精益求精。孙瀛洲的弟子讲过这样一件事：一次，孙瀛洲让人们把不同时期的瓷器放在一起，其中当然有真品，也有仿品。他背过身，人们打乱摆放次序，他闭着眼睛，转过身来，只用手摸，就准确地一一说出了各件文物的朝代、名称。

在历来假货泛滥的文物界，鉴定家孙瀛洲就是一张最有威信的名片。当代社会，被称为"专家"容易，称为"著名专家"也不难，但称得上"大家"的不多，孙瀛洲就是人人心服口服的国家级别的"大家"。

孙瀛洲在故宫博物院工作期间将一生所学毫无保留地传授给学生，培养出一批文物鉴定人才，有的已成为当今古陶瓷鉴定的泰斗。

33. 看待	kàndài
	v. to regard, to treat
34. 家属	jiāshǔ n. family members
35. 拥护	yōnghù
	v. to support, to uphold
36. 表彰	biǎozhāng
	v. to commend, to cite
37. 荣誉	róngyù n. honor
38. 奖励	jiǎnglì v. to reward, to award
39. 称号	chēnghào n. title
40. 争气	zhēng qì
	v. to try to make a good showing, to try to win credit for, to try to bring credit to
41. 沾光	zhān guāng
	v. to benefit from association with sb. or sth.
42. 品质	pǐnzhì n. character, quality
43. 乐意	lèyì
	v. to be willing to, to be ready to
44. 精益求精	jīngyìqiújīng
	to always endeavor to do still better, to constantly perfect one's skill
45. 次序	cìxù n. order, sequence
46. 朝代	cháodài n. dynasty
47. 泛滥	fànlàn
	v. to be in flood, to overflow
48. 威信	wēixìn n. prestige
49. 当代	dāngdài
	n. present, contemporary era
50. 级别	jíbié n. rank, level
51. 泰斗	tàidǒu n. leading authority

改编自《北京青年报》文章《孙瀛洲曾捐上千文物给故宫 后人称是明智之举》

注释（一）综合注释

Notes **1** 尚且

"尚且"，连词。用在复句的前一小句，提出明显的事例做比况，后一小句对程度上有差别的同类事例做出当然的结论。例如：

（1）尽管当年家中私藏丰厚，但他们生活却非常简朴，甚至有些吝啬，举个例子吧，过年时孩子们吃的糖葫芦都是孙瀛洲自制的。他对孩子尚且如此，对自己的那份节俭也就不难想象了。

（2）经济增长强劲时，这个企业尚且如此，经济衰退时，企业肯定会出现生存问题。

（3）"人"和"入"这么简单的两个字他尚且分不清楚，何况其他呢？

● **练一练**：给"尚且"选择适当的位置

（1）A小学生B明白C这些D道理，何况大学生呢？

（2）钱钟书先生A如此B，对于一般人来C说，读书D做笔记就更有必要了。

（3）A这个字B你作为中国人C不认识，D我这个留学生就更不认识了。

2 当

"当"，介词，意思是正在（那个时候、那个地方）。例如：

（1）孙瀛洲的女儿孙女士至今仍记得当年的情景。

（2）由于经营有方，又收藏有大量珍贵文物，孙瀛洲在当时的古董经营者中很有威望。

（3）当代社会，被称为"专家"容易，称为"著名专家"也不难，但称得上"大家"的不多。

● **练一练**：选择合适的词语填空

当今　　当场　　当地

（1）洪水淹没了村庄，给_____人民的生活造成了很大的损失。

（2）所有这些，与_____社会提倡的"可持续发展""以人为本"的价值观显然是背道而驰的。

（3）他刚把手伸到别人的书包里，钱包还没拿出来，就被警察_____抓获。

（二）词语辨析

温和——温柔

	温和	温柔
共同点	形容词，都有（性情、态度、言语等）不严厉，使人感到亲切的意思。	
	如：她性格温和/温柔。	
不同点	1. 侧重表示态度和语言和气、有礼貌。	1. 含有脾气好、有不同意见的时候能顺从别人的意思，多用于女性。
	如：经理温和的态度打消了我的顾虑。	如：这个女孩子很温柔。
	2. 可以指（气候）不冷不热。	2. 没有左边这个用法。
	如：昆明气候温和，四季如春。	

● **做一做**：判断正误

① 一个态度温和的办事员接待了我，仔细询问了我的情况。（　　）

② 苏州地处太湖之滨，气候温柔，土地肥沃。（　　）

③ 她温柔地开导我，使我受伤的心灵得到一丝抚慰。（　　）

④ 他温和的目光给了我莫大的力量，我鼓起勇气登台演出。（　　）

（三）篇章修辞

篇章（5）过渡

"过渡"指文章由这层意思向另一层意思转换，或由这段内容向另一段内容发展时，用一些词、句子或语段使这两层意思或两段内容能够自然衔接起来。

"过渡"的作用是使上下文的意思连贯起来，形成一个整体。大多数文章中都有过渡语言，或用过渡词，或用过渡句，或用过渡段。例如：

（1）孙女士感慨道，尽管当年家中私藏丰厚，但他们生活却非常简朴，甚至有些吝啬，举个例子吧，过年时孩子们吃的糖葫芦都是孙瀛洲自制的。他对孩子尚且如此，对自己的那份节俭也就不难想象了。可是，为了收购绝世珍品斗彩三秋杯，他却是不惜重金。正是这种对陶瓷执着的热爱，使孙瀛洲收藏了数量可观的陶瓷精品。

（"可是"为过渡词）

（2）不少人看到过象，都说象是很大的动物。其实还有比象大得多的动物，那就是鲸。目前已知最大的鲸约有十六万公斤重，最小的也有两千公斤。我国发现过一头近四万公斤重的鲸，约十七米长，一条舌头就有十几头猪那么重。它要是张开嘴，人站在它嘴里，举起手来都摸不到它的上腭，四个人围着桌子坐在它的嘴里看书，还显得很宽敞。

……

鲸的身子这么大，它们吃什么呢？须鲸主要吃虾和小鱼。它们在海洋里游的时候，张着大嘴，把许多小鱼小虾连同海水一齐吸进嘴里，然后闭上嘴，把海水从须板中间滤出来，把小鱼小虾吞进肚子里，一顿就可以吃两千多公斤。齿鲸主要吃大鱼和海兽。它们遇到大鱼和海兽，就凶猛地扑上去，用锋利的牙齿咬住，很快就吃掉了。有一种号称"海中之虎"的虎鲸，常常好几十头结成一群，围住一头三十吨重的长须鲸，几个小时就能把它吃光。

……

（"鲸的身子这么大，它们吃什么呢？"为过渡句）

（3）……他说这是咱家最值钱的东西，故宫里也没有，明天就捐给故宫了，今天让你们看看。父亲说话时脸上充满了自豪。

……

也许有人要问，这孙瀛洲到底什么来历？家藏竟然如此丰厚？孙瀛洲的籍贯是河北，他13岁到北京，在古玩店做学徒……

（"也许有人要问，这孙瀛洲到底什么来历？家藏竟然如此丰厚？"为过渡段）

● **练一练**：为过渡句"这座桥不但坚固，而且美观。"选择合适的位置

河北省赵县的洨河上，有一座世界闻名的石拱桥，叫安济桥，又叫赵州桥。A 它是隋朝的石匠李春设计和参加建造的，到现在已经有一千四百多年了。

赵州桥非常雄伟。B 桥长五十多米，有九米多宽，中间行车马，两旁走人。这么长的桥，全部用石头砌成，下面没有桥墩，只有一个拱形的大桥洞，横跨在三十七米多宽的河面上。大桥洞顶上的左右两边，还各有两个拱形的小桥洞。平时，河水从大桥洞流过，发大水的时候，河水还可以从四个小桥洞流过。这种设计，在建桥史上是一个创举，既减轻了流水对桥身的冲击力，使桥不容易被大水冲毁，又减轻了桥身的重量，节省了石料。

　　C 桥面两侧有石栏，栏板上雕刻着精美的图案：有的刻着两条相互缠绕的龙，嘴里吐出美丽的水花；有的刻着两条飞龙，前爪相互抵着，各自回首遥望；还有的刻着双龙戏珠。所有的龙似乎都在游动，真像活了一样。

　　D 赵州桥表现了劳动人民的智慧和才干，是我国宝贵的历史遗产。

练习 1 　模仿例子，写出更多的词语
Exercises

例：温和：温柔　　温顺　　温厚　　温情

　　　赠送：＿＿＿＿＿＿＿＿＿＿＿＿＿＿＿＿＿＿＿＿＿

　　　皇帝：＿＿＿＿＿＿＿＿＿＿＿＿＿＿＿＿＿＿＿＿＿

　　　创业：＿＿＿＿＿＿＿＿＿＿＿＿＿＿＿＿＿＿＿＿＿

　　　荣誉：＿＿＿＿＿＿＿＿＿＿＿＿＿＿＿＿＿＿＿＿＿

2 　用所给词语完成句子

❶ 他常常＿＿＿＿＿＿＿＿＿＿＿＿＿＿＿＿＿＿＿＿＿。（无偿）

❷ 他们店的生意很好，＿＿＿＿＿＿＿＿＿＿＿＿＿＿＿。（络绎不绝）

❸ 大人＿＿＿＿＿＿＿＿＿＿＿＿＿＿＿，更别说孩子了。（尚且）

❹ 为了自己的事业，＿＿＿＿＿＿＿＿＿＿＿＿＿＿。（不惜）

❺ 由于采用了新技术，＿＿＿＿＿＿＿＿＿＿＿＿＿。（可观）

❻ 人们对环境的破坏＿＿＿＿＿＿＿＿＿＿＿＿＿＿。（泛滥）

3 　选择合适的词语填空

颠簸　　无偿　　朴素　　可观　　吝啬

❶ 　　我经常看到一位衣着＿＿＿＿＿＿的老人，坐着＿＿＿＿＿＿的公共汽车去上班。后来才知道，这位老人自己生活很简朴，甚至可以说＿＿＿＿＿＿，但他＿＿＿＿＿＿资助了许多贫困地区的孩子读书。几十年的捐款加起来，数额相当＿＿＿＿＿＿。

荣誉　　威望　　手艺　　乐意　　沾光

❷　　父亲是个_____人，经过几十年的努力，他在行业内越来越有_____，也得到了不少_____。虽然父亲很_____把这项传统技艺传授给我们，但我们这些子女并不想_____父亲的_____，我们更希望通过自己的奋斗获得成功。

4 请找出下列语段中的过渡词、过渡句

❶ 我们班的同学学习都非常努力，拿小丽来说，她上课从来不迟到，每天不是在图书馆就是在宿舍学习。

_____

_____

❷ 如果我们在实践中选择和采取恰当的措施，目标一致地协调行动，我们的教育工作就会取得良好效果。反之，教育工作就会迷失方向，遭受挫折，甚至失败。

_____

_____

❸ 农业的市场主要在城市，资金主要来自城市，技术和掌握高科技的人才也来自城市，总而言之，脱离了城市，农业和农村经济就无法得到发展。

_____

_____

❹ "三高"食品本身无罪，因为热量、脂肪、糖分也是人体必需的，但俗话说"过犹不及"，一个人每天摄入过量的油脂和糖分对身体危害是极大的。

_____

_____

5 根据提示，简述课文主要内容

描述一下孙瀛洲	衣着，性情，坐着……到……上班，是……家、……家
为什么说1956年是个值得记忆的年头？	把……无偿赠送给……，对……登记造册，打包装箱，父亲取出……给全家看
为什么斗彩三秋杯有这么高的价值？	造型……，色调……，图案……，相传……
说说孙瀛洲的经历	籍贯……，13岁……，在古玩店做……，1923年……，在……很有威望
孩子们怎么看待父亲和父亲的义举？	生活简朴，不惜重金……，支持父亲，不想沾父亲的光，父亲留下的最大财富……
孙瀛洲在工作中的贡献有哪些？	从事……工作，精益求精，弟子讲过的一件事，人人"心服口服"的"大家"，将……传授给……

运用
Application

■ 写一写

　　这篇课文讲述了陶瓷收藏家、鉴定家孙瀛洲的故事，通过文章我们了解了孙瀛洲是怎样一位老人，他一生的经历，他惊人的义举以及对孩子们的影响，从而让我们看到了一个真正的"大家"有着怎样的一种风范。请参考练习5，把课文缩写成400字左右的短文。

扩展
Expansion

词汇：熟悉下列表示人物身份的词语

董事长	由董事会选举产生的公司法定代表人。
法人	法律上指根据法定程序设立，有一定的组织机构和独立的财产，参加民事活动的社会组织，如公司、社团等。
顾问	有某方面的专门知识，供个人或机关团体咨询的人。
保姆	受雇为人照料儿童、老人、病人或为人从事家务劳动的妇女。
乞丐	靠向人要饭要钱生活的人。
渔民	以捕鱼为业的人。
委员	政党、团体、机关、学校中的集体领导组织的成员。
书记	党、团等各级组织中的主要负责人。
元首	国家的最高领导人。
俘虏	打仗时捉住的敌人。
将军	"将"一级的军官，也泛指高级军官。
司令	某些国家军队中主管军事的人。
公民	具有或取得某国国籍，并根据该国法律规定享有权利和承担相应义务的人。

对照图片熟悉下列物品的名称，并想一想这些东西跟什么有关系？

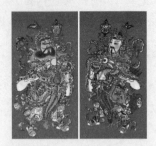  

门神画（ménshén huà）　　　碑刻（bēikè）　　　拓印（tàyìn）

墨（mò）　　　印章（yìnzhāng）　　　雕版（diāobǎn）

2 想一想下列词语之间有什么联系。

画	门神画、年画、版画、油画、国画、漫画、书画、图画、字画、动画、画家、画展、画报、画册
展	拓展、开展、发展、进展、扩展、伸展、舒展、延展、展开、展翅、愁眉不展
墨	墨水、墨点、墨盒、墨汁、淡墨、浓墨、磨墨、油墨、水墨画
花	花朵、花草、花丛、花木、花卉、花鸟、花瓶、花盆、花坛、花农、花园、鲜花、种花

走近木版年画 （1447字） 🔊 35-1

年画的起源

年画是中国画的一种，始于古代的门神画。

有文献记载：传说很久以前，有一对兄弟，专门监督百鬼，发现凶恶的鬼就捆绑起来，无须揭露恶行，直接去喂老虎。于是有人在门上画上他们兄弟二人的像，用以防鬼，这就是最早的门神画。

随着唐宋①两朝经济的发展，文化的昌盛以及民间绘画水平的提高，门神画的内容得以拓展，反映世俗生活题材的作品进入了这一领域。之后，有清朝②学者在论述这类画作时正式使用了"年画"一词，自此，以驱逐祸凶、祝福新年吉祥喜庆为内容的画儿就叫年画了。

木版年画

造纸技术的发明是人类文化发展史上一个重要的里程碑。

有了纸，书写就需要墨水儿，于是有人发明了墨；字画、书信上需要盖章，于是印章开始流行；碑刻、拓印技术被广泛运用，于是有人联想到：这些技术结合起来，不就能印出书来吗！人们尝试把印章扩大成一张纸那么大，叫作"版"，然后把书的内容刻在版上，在版上涂抹上墨，把纸铺到上面，用刷子均匀地刷印，最

生词 🔊 35-2

1. 起源　qǐyuán
   n. origin, beginning

2. 文献　wénxiàn
   n. document, literature

3. 凶恶　xiōng'è
   adj. fierce, vicious

4. 揭露　jiēlù
   v. to expose, to uncover

5. 昌盛　chāngshèng
   adj. prosperous, flourishing

6. 题材　tícái
   n. subject, theme

7. 驱逐　qūzhú
   v. to drive out, to expel

8. 吉祥　jíxiáng
   adj. lucky, propitious

9. 里程碑　lǐchéngbēi
   n. milestone

10. 墨水儿　mòshuǐr
    n. ink

11. 盖章　gài zhāng
    to seal, to stamp

12. 联想　liánxiǎng
    v. to associate, to connect
    in the mind

13. 涂抹　túmǒ
    v. to paint, to daub

---

① 唐宋：朝代名。唐：公元618年～公元907年。宋：公元960年～公元1279年。
② 清朝：朝代名。公元1616年～公元1911年。

后将纸揭起，印品就出来了，这就是最早的雕版印刷。虽然雕版印刷中雕刻版面需要大量的人工和材料，但雕版完成后一经开印，就显示出空前的高效率和印刷量大的优越性。

单色印品终究不能满足人们的审美需求，之后就有了彩色套印技术。人们把这种技术运用到年画制作上，木版彩色套印年画就此诞生。

宋明①两代，木版年画从问世走向成熟，之后走进了百姓生活，以至过年贴年画成为了一种风尚，仿佛没有年画，没有烟花爆竹，没有春联就不叫过年，而寄托着百姓美好愿望的年画，也为春节增添了浓浓的年味。当时的另一盛况是，家族式的年画印制场所遍及全国各地。这期间，年画的内容也从威武的门神，扩展到期盼丰收、恭喜发财、连年有余的吉庆画，再到历史故事、戏曲人物、民间笑话、寓言和神话，内容无所不包。年画成了文化交流、道德教育、信仰传承的载体与工具，是老百姓喜闻乐见的文化艺术形式。

14.	终究	zhōngjiū
		adv. eventually, in the end, after all
15.	烟花爆竹	yānhuā bàozhú
		fireworks, firecrackers
16.	寄托	jìtuō
		v. to place (hope, etc.) on
17.	增添	zēngtiān v. to add
18.	丰收	fēngshōu
		v. to have a bumper harvest
19.	发财	fā cái
		v. to make a fortune
20.	连年	liánnián
		v. in successive years, in consecutive years
21.	寓言	yùyán
		n. fable, allegory, parable
22.	信仰	xìnyǎng n. faith, belief
23.	喜闻乐见	xǐwén-lèjiàn
		to love to see and hear, to be delighted to hear and see

———————
① 明：朝代名。公元1368年～公元1644年。

年画传人张光宁

第一次见到张光宁的木版年画，是在春节庙会上。在众多摊位中，他的两只木版彩色套印技术做成的布老虎神气极了。那虎翘着尾巴，神态逼真，身上装饰着彩绘花纹和盛开的花朵，全身散发着喜气。我问多少钱，他耸耸肩，对我说："这是魏州①虎。"言外之意是在告诉我这个外行，这虎可是系出名门。我心想："魏州是哪儿？我不知道别人也未必知道，这算什么推销术？"这是他给我留下的第一印象。

"这个卖年画的不像个商人"，这是他给我留下的第二印象。当你和他讨价还价的时候，他立刻就变得不好意思起来，说话吞吞吐吐。什么"这是纯手工的""残次品不可避免"这些现成的"谢绝"还价的理由他一条也说不出来，相反却唠唠叨叨地总想和你讨论木版年画中深厚的文化底蕴。

相识久了才知道，他在年画的故乡出生、长大，从小就画年画，基本功扎实，后来又对年画的构图创作、人物塑造、雕版手法、颜料加工等进行了广泛的研究。当他的作品逐步被市场认可后，他又不满足了，中国年画虽不分派别，但不同地区的年画各有所长，都值得学习借鉴。于是，他再接再厉，数年间走遍了全国各大年画产地，与同行进行广泛的交流。不仅如此，参加民俗文

24. 神气　shénqì
adj. impressive, vigorous

25. 翘　qiào
v. to raise (one's head, tail, etc.)

26. 神态　shéntài
n. expression, manner, mien

27. 盛开　shèngkāi
v. to be in full bloom

28. 散发　sànfā
v. to send forth, to give off

29. 耸　sǒng　v. to shrug

30. 州　zhōu　n. prefecture

31. 外行　wàiháng
n. layman, outsider

32. 推销　tuīxiāo
v. to promote sales

33. 吞吞吐吐　tūntūntǔtǔ
to mutter and mumble, to falter out a few words

34. 残次品　cáncì pǐn
damaged or defective product
次品　cìpǐn
n. defective product

35. 现成　xiànchéng
adj. ready-made

36. 谢绝　xièjué
v. to refuse, to decline

37. 故乡　gùxiāng　n. hometown

38. 扎实　zhāshi　adj. solid, sound

39. 塑造　sùzào　v. to portray

40. 手法　shǒufǎ　n. skill, technique

41. 派别　pàibié　n. faction, school

42. 借鉴　jièjiàn
v. to use for reference, to draw lessons from

43. 再接再厉　zàijiē-zàilì
to make persistent efforts

① 魏州：地名。在今河北省邯郸市魏县。其传统花布染织技艺至今仍然风格独具。

化巡展，走进大学和师生就相关主题进行研讨，交流艺术心得，他从不缺席。

张光宁一年到头真够忙的，可他总是干劲十足。他曾真诚地说："年画占据了我生命的全部，我喜欢它，热爱它，靠它生活，也在努力探索它、发展它。"是啊，愈是经营年画久了，他对年画就愈是热爱。他已确立了自己的目标——传播他喜爱的这一民俗文化。他的信念就是拓展年画的内容，使其雅俗共赏，为更多民众所喜爱，虽然任重道远，也不会一帆风顺，但他一定会坚持下去。

44.	心得	xīndé	n. what one has learned from work, study, etc.
45.	缺席	quē xí	v. to be absent (from a meeting, etc.)
46.	干劲	gànjìn	n. passion, energy
47.	占据	zhànjù	v. to occupy, to take over
48.	确立	quèlì	v. to establish
49.	信念	xìnniàn	n. faith, belief
50.	任重道远	rènzhòng-dàoyuǎn	it is an arduous task and the road is long; to take a heavy burden and embark on a long road
51.	一帆风顺	yìfān-fēngshùn	everything is going smoothly; to go off smoothly, to have a favorable wind all the way

注释（一）综合注释

Notes 1 终究

"终究"，副词。

① 表示强调事物的本质特点不会改变，事实不可否认。有加强语气的作用，多用于评价意义的陈述句。例如：

（1）单色印品终究不能满足人们的审美需求，之后就有了彩色套印技术。

（2）猫终究是动物，动物急了咬人也是正常的。

② 常用在助动词之前，表示预料或期望的结果必然会出现；无论怎样，一定会这样。例如：

（1）胜利总是在真理一边，正义的事业终究会取得胜利。

（2）一个企业的成功是整个团队努力的结果。这个团队当然缺不了管理、技术人才，但同样也缺不了普通一线工人。有再好的管理和技术，产品终究要靠这些普通工人去生产。

● **练一练**：用"终究"改写句子

（1）如果一个人一直不愿意变老，那他就永远不会幸福，因为他最后是一定会变老的。

_____

_____

（2）借住在朋友这儿当然不是长久之计，还是应该尽快租个房子。

_____

（3）失败毕竟不是好事，但只要从失败中吸取经验教训，坏事也可以变成好事。

_____

_____

2 愈……愈……

"愈……愈……"跟"越……越……"相同。用于书面。例如：

（1）愈是经营年画久了，他对年画就愈是热爱。

（2）机遇的特点之一是转瞬即逝，市场竞争愈激烈愈是如此。

（3）一般说来，一个人受的教育愈多、愈好，占有的人类精神文化的财富也就愈多，创造、发展文化的能力也就愈强。而一个民族，教育愈普及，教育的质量愈高，文化发展的速度就愈快，文化水准也就愈高。这也是因为，教育是文化系统中的一个能动要素，是文化发展循环加速机制中的一个内在环节的缘故。

● **练一练**：请把下列6个小句组合成3个连贯的语段

A.一个家庭，愈重视教育，教育的投入愈多

B.市场经济是法制经济，愈是发达的市场经济

C.经营活动愈是会受到完备的法规约束，从而，在法制的框架内展开充分的公平竞争

D.他生就一副挑战式性格，愈是面对成功

E.家庭成员的文化水平就愈高，综合素质也就愈高

F.愈要为自己设定更高的目标

（1）　　　　　　　　（2）　　　　　　　　（3）

（二）词语辨析

连年——连续

	连年	连续
共同点	都有"接连不断"的意思。	
	如：他们连年/连续创造了高产纪录。	
不同点	1. 接连许多年，只能用于表示"年"的时间，没有其他意思。	1. 一个接一个，可以表示任何时间段内的连续。
	如：连年大丰收	如：①连续下了三天雨。 ②他们连续工作了15个小时。
	2. "连年"后面不带数量词语。	2. "连续"后面可带数量词语。
		如：他已经连续三天没吃东西了。

● **做一做**：选择"连年"或"连续"填空

❶ 用同样的方法_____念下去，直到不看卡片，念十遍不出错为止。

❷ 人民生活在社会动荡和_____战乱中，苦不堪言。

❸ 屏幕上会_____出现几个数字，你要迅速记住它们。

❹ 最近几年来，由于管理混乱、经营不善，导致_____亏损。

（三）篇章修辞

篇章（6）重复关键词，推进主题

重复关键词在语篇中起着十分重要的作用，从交际角度讲，重复关键词可以突出某一或某些信息；从篇章结构角度讲，不断重复出现最关键的词语，可使主题不断推进，它是促使篇章连贯，语句流畅的手段之一。例如：

（1）有了纸，书写就需要墨水儿，于是有人发明了墨；字画、书信上需要盖章，于是印章开始流行；碑刻、拓印技术被广泛运用，于是有人联想到：这些技术结合起来，不就能印出书来吗！

（2）我开始每天至少写两千字。没有为"一定要换成稿费"而写，没有读者也写，自己寻找题目，把写作当成生活的一部分。有时，写不出自己想写的东西来，那就写一些无聊的消息稿或整理访问稿，我甚至还愿意接翻译稿，只求有字可写。

（3）佩珊！佩珊！我心里难过极了！想到一个人会死，而且会突然地就死，我真是难过极了！我不肯死！我一定不能死！可是我们总有一天要死。

● **练一练**：根据文意，填上合适的词语

　　小张的花店跟别人不一样的地方是免费送花，只要是有这种需求的，路近的送，路远的_____；大花篮、大花束送，一支两支_____；晴天送，雨天_____；即使人手不够，小李亲自骑自行车_____。

练习 1 模仿例子，写出更多的词语

Exercises

　　例：文献：文章　　　文学　　　文人　　　作文

　　　　增添：_____

　　　　发财：_____

　　　　外行：_____

　　　　故乡：_____

2 用所给词语或结构改写句子

❶ 孩子们很想了解生命是怎么开始的。　　　　　　　　　　（起源）

_____。

❷ 看到此情此景，我的脑海里浮现出许多往事。　　　　　（联想）

_____。

❸ 一个人的力量毕竟是有限的，还是团结力量大。　　　　（终究）

_____。

❹ 随着孩子的陆续出生，家里增加了不少人口。　　　　　（增添）

_____。

❺ 由于此地涉及国家机密，所以是不允许参观的。　　　　（谢绝）

_____。

❻ 老师曾教导我们："情况越紧急，越需要沉着冷静。"（愈……愈……）

_____。

3 选择合适的词语填空

神态　　手法　　涂抹　　心得　　盛开

❶ 　　儿子从小就爱画画儿，从开始的随便_____，到现在能画出_____逼真的动物，_____的花朵……绘画_____越来越娴熟。一路走来，经历了许多艰辛，也收获了许多幸福，他愿意与大家一起分享画画儿的_____。

确立　　一帆风顺　　借鉴　　信念　　扎实

❷ 　　想要成就一番事业，无论选择哪条路，都不会_____的。首先要_____自己的目标，给自己打下_____的基础，多_____别人成功的经验，抱着必胜的_____坚持下去，最后的胜利一定属于你。

4 请找出下列语段中重复的关键词

❶ 这泪水，是激动的泪水，兴奋的泪水，喜悦的泪水，收获的泪水。

_____。

❷ 他是代表全民族的大多数，最正确、最勇敢、最坚决、最忠实、最热忱的空前的民族英雄。

_____。

❸ 一根火柴，它自己熄灭了，却把别人点燃起来，点起了比自己大十倍、百倍、千倍以至数万倍的熊熊大火。

_____。

❹ 他用心观察着，眼前飞过的一只雁，一只麻雀，一只蝴蝶，一只蜻蜓，他都不放过。

_____。

5 根据提示，简述课文主要内容

年画的起源	门神画；兄弟二人；唐宋，门神画内容拓展；清朝，使用"年画"一词

木版年画	雕版的发明	墨——→印章——→碑刻、拓印——→ 扩大印章——→在版上刷印
	彩色套印	
	年画走进百姓生活	过年贴年画，年画印制场所，年画内容，年画成了……的载体与工具
年画传人 张光宁	初次认识	春节庙会，布老虎，推销
	第二印象	不像商人，讨论……
	相识久了	出生，长大，从小……，后来……，再接再厉……，不仅如此，……
	目标和信念	传播……，拓展……

运用
Application

写一写

　　本课介绍了中国的木版年画以及年画传人张光宁。从年画的起源讲到了年画的发展历程，同时给我们描述了一个热爱年画艺术，为年画艺术追求不止，有着远大理想和信念的年画传人。在你们的国家，一定也有具有自己民族特色的绘画艺术和具有代表性的画家，请以"我们的……艺术"为题写一种绘画艺术形式及画家的故事，字数不少于400字。

_____

_____

_____

_____

扩展
Expansion

词汇：熟悉下列词语的语素义

回收
├ 回：还，返
└ 收：收回（利用）

开除
├ 开：使分离
└ 除：去掉

请示
├ 请：请求
└ 示：指示

玩弄
├ 玩：耍弄，使用（不正当的手段方法）
└ 弄：戏耍

瞻仰
├ 瞻：往前或往上看
└ 仰：尊敬仰慕

落成
├ 落：得到某种结果
└ 成：完成，成功

开采
├ 开：开发
└ 采：挖掘（矿物）

划分
├ 划：把整体分成几部分
└ 分：分开

施加
├ 施：给予（压力、影响等）
└ 加：增添

应酬
├ 应：应付
└ 酬：交际往来

铸造
├ 铸：把金属熔化后倒在模子里制成器物
└ 造：制作

配套
├ 配：把缺少的补上
└ 套：同类的事物合成一组

36

中国古代书院
The ancient Chinese academies

热身
Warm-up

1 你认为一个好的教育体系应该包含哪些方面？下列教育理念你同意吗？

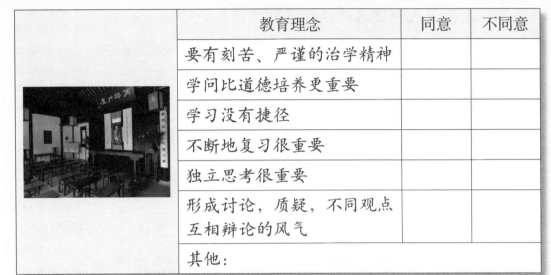

教育理念	同意	不同意
要有刻苦、严谨的治学精神		
学问比道德培养更重要		
学习没有捷径		
不断地复习很重要		
独立思考很重要		
形成讨论，质疑，不同观点互相辩论的风气		
其他：		

2 想一想下列词语之间有什么联系。

私	私人、私事、私下、私信、私有、私营、私立、私宅、私生活、私房钱、公私分明
流	流转、流动、流浪、流放、流年、流失、流通、流星、流离、流落、轮流、漂流
缩	缩影、缩小、缩短、缩回、缩减、缩水、缩写、缩印、紧缩、简缩、浓缩、压缩、节衣缩食
长	长幼、长辈、长亲、长者、年长、师长、兄长、学长、尊长

课文
Text

中国古代书院 （1202字） 🔘 36-1

中国藏书的历史很长，有2000多年了，有官方藏书，也有私人藏书。唐代有人把藏书的地方称作书院，之后各种书院层出不穷，甚至有人把自己的书屋也命名为书院。

时光流转，书院渐渐发展成了藏书、教学和研究相结合的教育机构。比如，东佳书院就是中国书院史上最早拥有学田①、订有规章制度、收有学生的私办书院。它前后存在了千余年，名字更换了三四次，截止到清朝末年，书院制度终止，东佳书院改成了学校。可以这样说，萌芽于唐，完备于宋，废止于清的东佳书院是中国书院制度的一个缩影。

历史上的书院立足于人才培养。它把灵魂塑造看得和学问同等重要；提倡刻苦、严谨的治学精神；努力实践自由活泼的办学宗旨。书院的历史是中国古代教育史上的一份珍贵遗产。

德业并重是书院自始至终的追求目标。翻开各时代书院颁布的《学规》就能发现，书院重视学问，更重视品德修养。比如，丽泽书院《学规》第一条大意是：凡是本书院的学子，都要孝顺长辈，敬爱兄长，为人忠诚，守信用。不顺从长辈，和兄弟不友善，与人不和睦，对朋友不忠诚，言行不一，擅以虚伪的言辞掩饰过失的无耻之徒，一经发现，本

生词 🔘 36-2

1. 官方　　guānfāng
   n. authority, of or by the government

2. 层出不穷　céngchū-bùqióng
   to emerge in an endless stream, to be continuing without end, to come out in an unending flow

3. 命名　　mìng míng
   v. to name

4. 规章　　guīzhāng
   n. rules, regulations

5. 截止　　jiézhǐ
   v. up to, until

6. 终止　　zhōngzhǐ
   v. to stop, to end

7. 完备　　wánbèi
   adj. complete

8. 立足　　lìzú
   v. to base on

9. 灵魂　　línghún
   n. soul, spirit

10. 颁布　　bānbù
    v. to promulgate, to issue

11. 品德　　pǐndé
    n. moral character

12. 过失　　guòshī
    n. fault, error

13. 无耻　　wúchǐ
    adj. shameless, impudent

---

① 学田：学田是专门配置给学校的田地，其收益用作教师薪酬及补助读书人等开支。

书院定不容纳。短短一段文字透露出这样的信息：书院在人文环境的治理上是有标准的，那就是树立正气，唾弃卑鄙、堕落的腐败行为。因此，有学问、有道德、有崇高的境界，就成为了古代知识分子立志终生攀登的道德高峰。

　　提倡刻苦、严谨的治学精神是古代书院的共同特点。古代书院学术思想各有不同，但治学态度却极为相似，认为读书没有窍门，没有捷径，唯有发扬勤奋好学的精神，扎扎实实，一步一个脚印，才能做好学问。在学习方法上，提倡读书成诵，因为"书读百遍，其义自见①"；提倡温故知新②；提倡博学求精③；提倡读书须有疑④。

　　书院在办学方法上，努力实践自由活泼的办学思想。首先，书院本着贫富平等的原则，敞开大门，招收平民子弟入学，这在当时确

14. 容纳	róngnà　v. to hold, to accept
15. 透露	tòulù v. to disclose, to reveal
16. 治理	zhìlǐ v. to administer, to manage, to govern
17. 树立	shùlì　v. to set up, to build
18. 正气	zhèngqì n. healthy atmosphere
19. 唾弃	tuòqì　v. to cast aside
20. 卑鄙	bēibǐ　adj. mean, despicable
21. 堕落	duòluò v. to degenerate, to fall, to corrupt
22. 腐败	fǔbài adj. corrupt, rotten
23. 崇高	chónggāo adj. lofty, sublime, high
24. 境界	jìngjiè　n. state, realm
25. 攀登	pāndēng　v. to climb
26. 窍门	qiàomén　n. trick, knack
27. 发扬	fāyáng v. to develop, to promote, to carry forward
28. 敞开	chǎngkāi　v. to open wide
29. 招收	zhāoshōu v. to recruit, to enroll, to take in

①书读百遍，其义自见：意思是说书读熟了，自然就领悟了。
②温故知新：成语，出自《论语》，也说"温故而知新"，意思是经常温习学过的知识，自然能获得新的理解和体会。
③博学求精：意思是学识要广博，学术上要精通。
④读书须有疑：意思是读书之后要思考，要能够提出问题，解决问题，以求新意。

实是令人震撼的开明之举。其二，书院重视自修和研究，在读书的过程中倡议自行思考，杜绝外来因素的干涉，也不会过多过问，以便开发学生的自主学习能力，激发学生的主动性和创造性。其三，鉴于一个人的知识是有限的，大家的知识是无限的，个人解决不了的问题，在众人的智慧面前就不是问题，书院倡导互相切磋、互相学习。其四，鼓励师生之间相互质疑，形成探讨争辩、求真求实的学习风气。另外，重视观点的多元化，开展不同观点的论辩、交流，也是书院提倡的。观点对立、有分歧不要紧，开放、保守也无关紧要，书院主张不同学派、不同主张之间的争辩与较量，为此书院设立了讲演辩论制度，类似今天的"论坛"。这种学术活动很受欢迎，学子们学习热情高涨，相互激励，取长补短，共同进步。

书院讲究长幼，注重礼节，但不拘泥；主张刻苦自励，自主学习，却又鼓励相互质疑、辩论。书院内师生关系融洽，感情深厚，学生衷心爱戴名师，因为他们学识广博，品德过人，给学生做出了最好的示范，是学生崇敬的偶像。

书院对中国封建社会教育、学术的发展，产生过重要影响。

30.	开明	kāimíng adj. enlightened, liberal, open-minded
31.	倡议	chàngyì v. to propose, to advocate
32.	杜绝	dùjué v. to completely eradicate, to put an end to
33.	干涉	gānshè v. to interfere, to intervene
34.	过问	guòwèn v. to bother about, to concern oneself with
35.	激发	jīfā v. to arouse, to stimulate
36.	多元化	duōyuánhuà adj. diversified, pluralistic
37.	开展	kāizhǎn v. to carry out, to launch
38.	对立	duìlì v. to oppose
39.	分歧	fēnqí n. difference
40.	保守	bǎoshǒu adj. conservative
41.	较量	jiàoliàng v. to measure one's strength against, to have a contest
42.	论坛	lùntán n. forum
43.	激励	jīlì v. to encourage, to inspire
44.	礼节	lǐjié n. courtesy, etiquette
45.	衷心	zhōngxīn adj. heartfelt, wholehearted
46.	爱戴	àidài v. to love and esteem
47.	示范	shìfàn v. to set an example, to demonstrate
48.	崇敬	chóngjìng v. to esteem, to respect
49.	偶像	ǒuxiàng n. idol, icon
50.	封建	fēngjiàn n. feudalism

改编自《北京青年报》文章《中华文化五千年 私家藏书两千年》

注释（一）综合注释
Notes **1** 一经

"一经"，副词，用于上句，表示只要实现了某一行为、步骤，就会相应地产生某种结果。例如：

（1）凡是本书院的学子，都要孝顺长辈，敬爱兄长，为人忠诚，守信用。不顺从长辈，和兄弟不友善，与人不和睦，对朋友不忠诚，言行不一，擅以虚伪的言辞掩饰过失的无耻之徒，一经发现，本书院定不容纳。

（2）语言是人类祖先在社会劳动和社会交往中，出于交流思想、传递信息的需要而产生的。语言一经产生，又对人类的心理发展起了巨大的推动作用，使人类的心理产生质的飞跃。

（3）所谓集体领导，是集体决策、共同负责的制度，即对重大问题，由领导集团全体成员讨论，做出决策和决定，一经决定，必须共同遵守。

● **练一练**：选择合适的短语填空

一经腐败菌和病菌光顾　　　一经推出　　　一经发布

（1）那一年的8月18日，他的第一张个人专辑＿＿＿＿＿＿＿＿＿＿就突破了20万张的销售成绩。

（2）据报道，这是国内民间最大的一起知识产权交易，消息＿＿　＿＿
＿＿＿＿　＿＿＿＿＿，当即引起轰动。

（3）许多味美可口的菜肴和食物，＿＿＿＿＿＿＿＿＿＿＿＿＿，不消几天甚至几小时，就会变酸变质，人吃了就会中毒生病，严重的还会危及生命。

2 本着 + 名词

"本着"，介词，表示遵循某一准则。对于"本着 + 名词短语"结构来说，名词短语的中心语多为"原则、精神、宗旨、态度、方针、观点"等。例如：

（1）书院本着贫富平等的原则，敞开大门，招收平民子弟入学，这在当时确实是令人震撼的开明之举。

（2）两国谈判代表本着互谅互让、平等协商的精神，解决了拖延多年的问题。这充分说明，只要两国有诚意加强沟通，加强合作，没有解决不了的问题。

（3）该公司本着"一切为用户着想，一切为用户服务"的宗旨，积极主动地征求用户意见，定期征求经销单位的意见，使他们的产品在市场上越来越受欢迎。

● **练一练**：请把下列6个小句组合成3个连贯的语段

A. 成人教育本着学用结合的原则

B. 把岗位培训和继续教育作为重点，重视搞好从业人员的知识更新

C. 作为一名医生，他一直是本着对患者高度负责的精神

D. 地震过后，全国人民本着"一方有难，八方支持"的精神

E. 对危重病人从不推脱，而是勇于承担风险，积极治病救人

F. 为灾区捐钱、捐物、捐食品

（1）　　　　　　　（2）　　　　　　　（3）

（二）词语辨析

■■■ 截止——终止

	截止	终止
共同点	都有"停止"的意思。	
	如：这项活动上个月已经截止/终止了。	
不同点	侧重（到一定期限）停止，只能跟表示时间的词语搭配。	侧重结束，可以跟其他词语搭配。
	如：①报名的截止日期是10月15号。（√）②截止比赛/活动/战争（×）	如：终止比赛/活动/战争（√）

● **做一做**：判断正误

① 截止到1998年，公司在15年里已经带来了2056%的回报率。（　　）

② 要采取必要的措施，以截止那些错误的、过时的、无效的政策。

（　　）

③ 当设定好起始日时，系统会自动推算出终止日期。（　　）

④ 婚姻关系终止时，夫妻按照约定分割共有财产。（　　）

（三）篇章修辞

■■ 篇章（7）论点 + 例证

　　"论点 + 例证"是议论性文字在篇章形成过程中，常被采用的一种成文方式，即先提出论点，然后用具体的例子来证明论点的方法。例如：

（1）我们的地球正在不断变暖，这是毋庸置疑的。政府间气候变化专门委员会（IPCC）第四次评估报告指出，最近100年（1906年~2005年）全球平均地表温度上升了0.74℃。过去50年的升温速度几乎是过去100年升温速度的2倍，也就是说地球不仅在变暖，其升温的速度还在加快。

（2）面对气候变暖，我们可以从身边的一点一滴做起。比如，尽量多乘坐公共交通工具；调小中央暖气，多穿一件衣服；购买家用电器时尽量选择节能家电；电视机和电脑如果不用就关掉，不要让它们处于待机状态；充分利用太阳能。这些生活中的细微之处都可以为我们节约能源做出很大的贡献，减少了能源的消耗就减少了温室气体的排放，也就为减缓气候变化出了一份力。

（3）时光流转，书院渐渐发展成了藏书、教学和研究相结合的教育机构。比如，东佳书院就是中国书院史上最早拥有学田、订有规章制度、收有学生的私办书院。它前后存在了千余年，名字更换了三四次，截止到清朝末年，书院制度终止，东佳书院改成了学校。可以这样说，萌芽于唐，完备于宋，废止于清的东佳书院是中国书院制度的一个缩影。

● **练一练**：找一找课文中哪些地方也采用了"论点 + 例证"的论证方法

练习
Exercises

1 模仿例子，写出更多的词语

例：官方：　官方　　　多方　　　我方　　　双方

　　规章：_____

　　终止：_____

　　无耻：_____

　　树立：_____

2 用所给词语改写句子

① 那颗小行星的名字用的是发现者的名字。　　　　　　　　（命名）

_____。

② 违反纪律的行为一旦被发现，学校会毫不留情地处理。　　（一经）

_____。

③ 这就是一种高尚的人道主义精神。　　　　　　　　　　　（崇高）

_____。

④ 我们按照互惠互利的原则进行协商。　　　　　　　　　　（本着）

_____。

⑤ 我们坚持不允许这种腐败行为的发生。　　　　　　　　　（杜绝）

_____。

⑥ 真心祝愿你事事顺利、马到成功。　　　　　　　　　　　（衷心）

_____。

3 选择合适的词语填空

治理　　境界　　腐败　　唾弃　　正气

① 目前，政府部门中存在个别_____分子，他们的一些行为令人_____。对这样的行为应该严加_____，要树立_____，提高政府工作人员的思想_____。

敞开　　对立　　开明　　分歧　　干涉

② 如果父母过多_____孩子的自由，就会使孩子与父母的情绪_____日益严重。当家长与孩子的意见出现_____时，家长应该采取_____的态度，鼓励孩子_____心扉，勇敢对父母说出自己的想法。

4 请分析下列语段中的论点和例证分别是什么

图书室在很多小学已经名存实亡了。首先，在不少学校，上级下拨的经费中并没有专门的图书经费，而学校自己又实在拿不出钱来购置新书，从而造成藏书少，更新缓慢，许多图书内容陈旧过时，不适合今天的学生阅读这样一种情况。其次，某些学校的经济条件较好，图书室也不错，但这样的学校一般都组织大量的课外活动，同学们把大部分课外时间都用在了参加音乐、舞蹈、美术、电脑培训等活动上，挤不出时间去图书室。另外，大多数小学图书室的工作都是教师兼任，因而开放时间短，图书利用率低。

论点：_____

例证：_____

_____

_____

_____

5 根据提示，简述课文主要内容

为什么说书院渐渐发展成了藏书、教学和研究的教育机构？	❶ 藏书历史 ❷ 东佳书院：学田、规章制度、学生，唐、宋、清
书院怎样立足于人才培养？	❶ 提倡刻苦、严谨的治学精神 ❷ 德业并重：重视学问，重视品德修养
书院的办学方法是什么？	❶ 首先，招收平民子弟入学 ❷ 其二，重视自修和研究 ❸ 其三，倡导互相切磋 ❹ 其四，鼓励相互质疑 ❺ 另外，重视观点的多元化

运用
Application
写一写

　　书院对中国封建社会教育、学术的发展，产生过重要影响。本课介绍了中国古代书院的发展历史，重点介绍了书院的办学方法以及在人才培养方面的情况。请参考练习5，把课文缩写成400字左右的短文。

_____

_____

_____

扩展
Expansion
词汇

（1）熟悉下列词语搭配

词汇	搭配	例句
过渡	过渡时期/过渡地带	进入少年期，人的心理发展处于半幼稚、半成熟的过渡状态。
周折	大费周折	为了进行这次采访，记者颇费了一番周折。
酗酒	酗酒滋事	年轻人可以少量饮用低度酒，但不要酗酒。
利害	不计利害/利害得失	他们之间一直就有利害冲突。
呻吟	无病呻吟	他躺在床上，满头都是汗，呻吟不止。
人质	扣押人质/解救人质	大家正在想办法，要赎回人质。
声势	声势浩大	他们的婚礼搞得颇有声势。
野心	有野心/野心家	他从小就野心勃勃，想干一番大事业。

（2）熟悉下列词语的语素义

悬念 悬：没有着落，没有结果
　　　念：念头

福利 福：幸福，福气
　　　利：利益

剪彩 剪：用剪刀剪
　　　彩：彩色丝绸

声明 声：宣称，表示
　　　明：清楚，明白

条理 条：思想、言语、文字的层次，生活、工作的秩序
　　　理：物质、组织的条纹

污蔑 污：无中生有地硬说别人做了某种坏事
　　　蔑：捏造实事，使别人受伤害

热点追踪

Tracing the hot topics

37 警察的故事
Stories of the policemen

请对照图片熟悉下列词语。你觉得哪些图片与警察有关系？

指纹（zhǐwén）

舌头（shétou）

粉末（fěnmò）

警犬（jǐngquǎn）

农用车（nóngyòngchē）

2 想一想下列词语之间有什么联系。

指	指纹、指尖、指头、指甲、指环、指印、手指、拇指、食指、中指、小指、无名指、了如指掌
查	勘查、检查、抽查、复查、审查、搜查、巡查、查对、查封、查获、查看、查票、查收、查验、查账
形	变形、方形、圆形、地形、口形、情形、人形、图形、外形、形状、形态、形象、奇形怪状
关	关押、关闭、关门、关窗、关上、关紧、关起来、关进去、开关

课文 Text

（一）优秀女警官

女警官李真是公认的"指纹破译专家"。

一次，某酒店一位正在化妆的女士被残忍地杀害在室内，现场没有烟头，没有纸屑，也没有抢劫等犯罪痕迹，侦破工作一时陷入停顿，一位曾在楼道内徘徊的男子有嫌疑，却苦于找不到证据。经过反复多次的现场勘查，窗台上一枚残缺的指纹成了唯一的线索，李真经过几个昼夜反复细致的比对，最终得出结论，抓住了歹徒。

另一次，某地发生多起入室抢劫案，附近居民恐惧感大增。其中两起案件提取到了犯罪嫌疑人的指纹，一枚是在玻璃上，而且指纹严重变形；另一枚是在铜制的框架上，指纹只残留有指尖部位。李真天天盯着指纹看，开始怎么也理不出头绪，两枚指纹都是残缺变形的，可以把两枚指纹结合起来分析吗？经过努力，李真发现因刑事犯罪被关押，一年前刑满放出监狱的王某的指纹与现场指纹具有共同特点，王某作案嫌疑很大。为了慎重起见，她又将其他现场遗留的指尖部位指纹与王某的指纹反复比较，最终认定该系列抢劫案为王某所为。

李真说，指纹认定工作繁重、枯燥，不能有半点麻痹和失误，是一项考验耐心的工作。十余年间，李真全

生词 37-2

1. 化妆　huà zhuāng
   v. to put on makeup, to make up

2. 屑　xiè
   n. scraps, crumbs

3. 抢劫　qiǎngjié
   v. to rob

4. 痕迹　hénjì
   n. mark, trace

5. 停顿　tíngdùn
   v. to stop, to halt, to pause

6. 嫌疑　xiányí
   n. suspicion

7. 线索　xiànsuǒ
   n. clue, thread

8. 歹徒　dǎitú
   n. gangster, evildoer

9. 恐惧　kǒngjù
   adj. fearful, scared

10. 铜　tóng　n. copper

11. 框架　kuàngjià　n. frame

12. 残留　cánliú
    v. to remain, to be left over

13. 刑事　xíngshì
    adj. criminal, penal

14. 监狱　jiānyù
    n. prison, jail

15. 慎重　shènzhòng
    adj. careful, cautious, prudent

16. 麻痹　mábì
    adj. to slacken one's vigilance, to lower one's guard

17. 失误　shīwù
    n. fault, slip

18. 考验　kǎoyàn
    v. to test, to trial

身心投入到痕迹检验和指纹管理工作中，查获了不少犯罪分子，使罪犯得到了应得的制裁。

（二）缉毒警察的故事

公安局接到情报，有人要在某地进行毒品交易，志强立刻带领手下实地走访调查，很快了解到：几天前，的确有一伙人运来大批毒品。因各处防守严密，毒贩把东西藏在了桃花乡附近的大山里，准备参与交易的人也住在附近。志强感到毒贩十分狡猾，为了做到万无一失，他确定了"化装行动、引蛇出洞、主动出击"的破案思路。

志强假扮成购买毒品的毒贩，与对方接上了头。对方提出在山里进行交易，志强认为山里地形复杂，提出在山下交易。信息传过去，对方却保持了沉默。时间一天天过去，志强心中十分焦急，但他清楚，必须沉着冷静，他决定暂且拖一拖这帮毒贩。他放出风说，自己在外地还有事，没货就算了。听到这话，对方急了，提出要不就在镇子附近交易。

大清早，志强和全队民警出发了。到了交货地点，志强开始部署兵力。他让一个同事在车里隐蔽好，一个随他下车，其他同事埋伏在附近。

刚刚布置妥当，一辆农用车和一辆摩托车朝自己缓缓驶来。面对毒贩，志强提出先验货后交钱，并告诉毒贩钱就放在车里。毒贩拿出毒品，奔向车门去取钱，车内民警扑上去，毒贩来不及反抗就被逮捕了。

19. 检验	jiǎnyàn
	v. to examine, to inspect
20. 查获	cháhuò
	v. to hunt down and seize, to track down
21. 制裁	zhìcái
	v. to sanction, to punish
22. 公安局	gōng'ānjú
	n. public security bureau, police station
23. 情报	qíngbào
	n. intelligence, information
24. 毒品	dúpǐn
	n. drug, narcotic
25. 带领	dàilǐng
	v. to lead, to head
26. 沉着	chénzhuó
	adj. composed, steady, calm
27. 暂且	zànqiě
	adv. for the time being, for the moment
28. 部署	bùshǔ
	v. to arrange, to map out
29. 埋伏	máifú
	v. to ambush, to lie in wait, to lie in ambush
30. 布置	bùzhì
	v. to arrange, to fix up
31. 反抗	fǎnkàng
	v. to revolt, to resist, to react
32. 逮捕	dàibǔ v. to arrest

这次，缉毒大队成功破获了当地有史以来最大的一起非法运输贩卖毒品案。

（三）特殊的"缉毒警察"

小罗是个兵，辉杰是只犬，这原本是一个平面上两条平行而非并列的线，却在缉毒战场上交叉，创造出感人的故事。

接手缉毒犬辉杰，小罗心里包袱很重。小罗怕狗，小时候被狗狂追的经历让他提起狗就胆怯。和辉杰初次见面，小罗努力和它搞好关系，可任你怎么哄，辉杰就是不理，弄得小罗很着急。没几天，辉杰生病了，小罗悉心照顾它。辉杰很快就好了，自此它对小罗非常的信赖和忠诚，每次见到小罗就会亲热地伸出舌头舔一舔。训练中，辉杰表现突出，无论毒品藏得多隐秘，辉杰一出手，不出一分钟，肯定能查出来。

小罗和辉杰可以正式执行任务了。这天辉杰按小罗的指令对一辆车实施搜嗅，很快就从车厢尾部空隙内查出了毒品。此后，辉杰累立战功。

那是9月的一天，辉杰在一辆车上发现了毒品，它扒开车厢底板上铺着的塑料垫，直接从下面叼出一个装有粉末状毒品的塑料袋，薄薄的塑料袋一咬即破，毒品直接渗入了辉杰的口腔。辉杰中毒了，它呼吸急促，无法站立，得赶快上医院。路上，辉杰眼看就不行了，小罗来不及多想便给辉

33.	非法	fēifǎ	adj. illegal
34.	贩卖	fànmài	v. to sell, to traffic
35.	平面	píngmiàn	n. plane, flat surface
36.	平行	píngxíng	v. to be parallel
37.	并列	bìngliè	v. to stand side by side
38.	交叉	jiāochā	v. to intersect, to cross
39.	包袱	bāofu	n. burden, load
40.	胆怯	dǎnqiè	adj. timid, cowardly
41.	哄	hǒng	v. to coax, to humor
42.	信赖	xìnlài	v. to trust
43.	忠诚	zhōngchéng	adj. loyal, faithful
44.	舌头	shétou	n. tongue
45.	舔	tiǎn	v. to lick
46.	空隙	kòngxì	n. gap
47.	扒	bā	v. to push aside
48.	垫	diàn	n. pad, cushion, mat
49.	叼	diāo	v. to hold in the mouth
50.	粉末	fěnmò	n. powder
51.	口腔	kǒuqiāng	n. oral cavity

杰做起了人工呼吸。14公里路程，小罗一次次把辉杰从死亡线上拉回来。经过抢救，辉杰脱离了生命危险，半个月后它又出现在缉毒岗位上。

中毒事件让辉杰的身体每况愈下，几年后，辉杰离世。参加过无数次大大小小"战役"的辉杰走完了它光辉的一生，也给小罗的心中留下了无尽的思念。

改编自《华西都市报》报道

52. 岗位　gǎngwèi　n. post, station, job
53. 战役　zhànyì　n. campaign, battle
54. 光辉　guānghuī　adj. glorious
55. 思念　sīniàn　v. to miss

注释（一）综合注释

Notes 1 　为……起见

"为……起见"表示为达到某种目的。为（了）+ 动词/形容词 + 起见，用在主语前。例如：

（1）为了慎重起见，她又将其他现场遗留的指尖部位指纹与王某的指纹反复比较，最终认定该系列抢劫案为王某所为。

（2）为安全起见，家庭购买餐具后，可将餐具放在稀释后的食用醋中煮一煮，然后再使用。

（3）通常人们在思考问题时总是习惯于从正面和反面两个角度进行，从正面想想，又从反面想想；在说明问题时，为了周到或强调起见，往往也从正反两方面阐述表达。

● **练一练**：选择合适的语句填空

　　　　为了叙述方便起见　　　为了慎重起见　　　为了安全起见

（1）＿＿＿＿＿＿＿＿，我们把世界造型艺术分为三大块——西方艺术、东方艺术以及中南美洲、非洲、大洋洲艺术。

（2）加拿大人与冰雪有着不解之缘，他们在冬季驾车也有着丰富的经验。但＿＿＿＿＿＿＿＿，他们在大风雪的时候还是尽量不出门或少出门，而且还都非常注意天气预报。

（3）接到这么大的订单，我们心中高兴之余也有一分担心：人家订我们的书，说明对我们的书感兴趣，可是一个地处偏僻山区的县城，这么多书，卖得出去吗？ _____ ，我们主动向这家书店介绍了情况，提请他们全面考虑。

2 暂且

"暂且"，副词，意思是暂时先这样。例如：

（1）干了几天，小王就不想干了。大家没办法，只得暂且由他去。

（2）时间一天天过去，志强心中十分焦急，但他清楚，必须沉着冷静，他决定暂且拖一拖这帮毒贩。

（3）我们暂且不说染烫发对身体的伤害，对头发巨大的影响就足以引起我们的重视了。

● **练一练**：给"暂且"选择适当的位置

（1）在A这个名叫《金姑娘》的童话中，B她没有姓名。我们C称她D是穿蓝裙的小姑娘吧。

（2）网球场的大门敞开着，场内比赛A进行得正激烈，却没有观众进来。这其中的原因B不论，但C没有观众的决赛，总D给人一种怅然若失的感觉。

（3）A大家没办法，只得B由他去，等C他心情恢复正常后，再D劝他回来。

（二）词语辨析

恐惧——恐怖

	恐惧	恐怖
共同点	都有"害怕、可怕"的意思，但一般不能换用。	
	如：①昨天的经历让我感到恐惧。②昨天的经历太恐怖了。	
不同点	强调人的心理上惊慌害怕，所以主语都是指人的词语。	强调事件、场面、手段等让人感觉害怕，一般不修饰指人的词语。
	如：①遇到这样的事情，他恐惧极了。　　　　　（√）②这件事情太恐惧了。　　　　　　　　　　　（×）	如：①遇到这样的事情，他恐怖极了。　　　　　（×）②那血腥的场面太恐怖了。　　　　　　　　　（√）

● **做一做**：判断正误

① 使用这么恐惧残忍的手段太不应该了。 （　　）

② 他无法克服内心的恐惧，于是拼命呼救。 （　　）

③ 这个电影太恐怖了，害得我一晚都没敢睡觉。 （　　）

④ 看到他反常怪异的样子，我很恐怖。 （　　）

（三）篇章修辞

篇章（8）照应

照应指文章内容的前后关照与呼应，即前文的人、事、物，在后文再现；后文的情节，在前文有铺垫。周密细致的照应，能使文章结构更为紧凑，中心意思表达更为鲜明，更好地引起读者的思考与回味。例如：

（1）我这永久的悔就是：不该离开故乡，离开母亲。

　　（这是散文《永久的悔》的第一段。文章开篇就紧扣主题，使文章题目和内容照应紧密）

（2）开头：小罗是个兵，辉杰是只犬，这原本是一个平面上两条平行而非并列的线，却在缉毒战场上交叉，创造出感人的故事。

　　结尾：中毒事件让辉杰的身体每况愈下，几年后，辉杰离世。参加过无数次大大小小"战役"的辉杰走完了它光辉的一生，也给小罗的心中留下了无尽的思念。

　　（开头结尾互相呼应，既使文章结构完整，又概括了全文、揭示了中心）

（3）我与父亲不相见已二年余了，我最不能忘记的是他的背影。……

　　……这时我看见他的背影，我的泪很快地流下来了……

　　……他走了几步，回过头看见我，说，"进去吧，里边没人。"等他的背影混入来来往往的人里，再找不着了，我便进来坐下，我的眼泪又来了。

　　……读到此处，在晶莹的泪光中，又看见那肥胖的，青布棉袍，黑布马褂的背影。唉！我不知何时再能与他相见！

　　（有意使"背影"重复出现，使其在反复中得到加强，更好的表现人物或事物，突出中心主题，表明文章线索）

● **练一练**：下面这段文章中是否采用了照应的方法

　　自从我家养了猫以后，我就觉得猫活得比人好，要是能做一只猫该有多好啊！

对于猫来说，每天都是假期，想干什么就干什么，什么时候都可以玩儿；不用为生活担心，整天有人管吃管住。也许在猫族里算丑猫一类的，但人看不出来，照样喜欢。做猫晚上12点睡，中午12点起也没人管；不像做人，天天要早早起来去上学，晚点儿睡也不行。

不过仔细想一想，做猫也有缺点。首先，猫只能活十几年，如果我是猫，就快活到头了。其次，做猫吃的也不卫生，在人类家里生活的猫还吃掉在地上的食物呢，如果命不好，是只野猫，很可能会吃不上饭。做猫还有缺点，就是生了病也不会说，只能忍着。做猫不会看电视、不会上网、不会看书，虽然整天都可以玩儿，但是也玩儿不出什么品味来。猫不能学知识，没有理想，很多事都不能干。

想想看，我现在还是当人好了。

练习
Exercises

1 模仿例子，写出更多的词语

例：嫌疑：可疑　　怀疑　　疑问　　疑惑

残留：＿＿＿＿＿＿＿＿＿＿＿＿＿＿＿＿＿＿

失误：＿＿＿＿＿＿＿＿＿＿＿＿＿＿＿＿＿＿

查获：＿＿＿＿＿＿＿＿＿＿＿＿＿＿＿＿＿＿

非法：＿＿＿＿＿＿＿＿＿＿＿＿＿＿＿＿＿＿

2 用所给词语或结构改写句子

❶ 他稍微停了一下，又继续发表演讲。　　　　　　　　　　　　（停顿）

＿＿＿＿＿＿＿＿＿＿＿＿＿＿＿＿＿＿＿＿＿＿＿＿＿＿＿＿＿。

❷ 为了更保险，你还是把钱存在银行里吧。　　　　　　　　　（为……起见）

＿＿＿＿＿＿＿＿＿＿＿＿＿＿＿＿＿＿＿＿＿＿＿＿＿＿＿＿＿。

❸ 如此重大的群体性事件，一定要谨慎处理。　　　　　　　　　（慎重）

＿＿＿＿＿＿＿＿＿＿＿＿＿＿＿＿＿＿＿＿＿＿＿＿＿＿＿＿＿。

❹ 导游带着游客一边游览名胜古迹，一边体验当地民俗。　　　　（带领）

＿＿＿＿＿＿＿＿＿＿＿＿＿＿＿＿＿＿＿＿＿＿＿＿＿＿＿＿＿。

⑤ 我们先把这个问题放一放，等时机成熟了再讨论吧。 （暂且）

_____。

⑥ 快住手，你这么做是违反法律规定的。 （非法）

_____。

3 选择合适的词语填空

沉着　　埋伏　　麻痹　　情报　　考验

① 作为警察，在工作中不能有半点_____和失误，接到_____后，必须冷静_____，仔细考虑，部署兵力。有时在一个地方可能要_____好几天才能抓到罪犯，所以这也是一项_____耐力的工作。

痕迹　　嫌疑　　线索　　歹徒　　停顿

② 近期，小区内连续发生了几起入室盗窃案件。犯罪分子非常狡猾，地上没有脚印，家具上也没有留下_____，虽然发现几个年轻人有_____，但找不到证据，侦破工作陷入_____状态，好在最终有一个目击者提供了重要_____，才成功抓获了_____。

4 请指出下列语段中是如何使用"照应"的

访美之前，接到一位同窗的航空信，要我为他带几颗生枣核，而且是再三托付，这是为什么呢？我感到很蹊跷。

我一下车，他就殷切地问："枣核带来了吗？"我交给他后，他小心翼翼地托在掌心，显得很贵重的样子。我好奇地问他："你要枣核有什么用？"他却很神秘地说，"等会儿你就明白啦。"

到了他家后，他向我介绍他的住房，介绍他的家庭，介绍他的花园栽种和布局，指指点点，就是不提"枣核"。让我的好奇心越来越浓厚。临别时，他感慨地说："近来，我老是想总布胡同院里那颗枣树。所以托你带几颗种子，试种一下。"

5 根据提示，简述课文主要内容

优秀女警察李真的故事	女士被杀案：现场，嫌疑人，苦于，唯一线索，经过比对，得出结论
	入室抢劫案：提取到指纹，一枚……，另一枚……；把指纹结合起来；发现嫌疑人
缉毒警察志强的故事	接到情报 ⟶ 实地走访 ⟶ 确定破案思路 ⟶ 假扮毒贩接头 ⟶ 等待时机 ⟶ 部署兵力 ⟶ 抓获毒贩
特殊"缉毒警察"辉杰的故事	❶ 建立感情：怕狗，哄狗，悉心照顾，建立信任和忠诚 ❷ 执行任务：累立战功，发现毒品，中毒，抢救 ❸ 分别：辉杰离世，留下思念

运用
Application

写一写

　　本课给我们讲了三个警察的故事。通过这些故事，不仅让我们看到了警察们工作的辛苦、认真，还让我们认识了一类特殊警察——缉毒犬。在你的印象中，有没有特别感动你的警察故事？请以"警察故事"为题写一写你所知道的警察故事，字数不少于400字。

扩展
Expansion

词汇：熟悉下列词语的语素义

事迹
├ 事：事情，事务
└ 迹：留下的印子

团体
├ 团：有组织的集体
└ 体：事物的本身或全部

通讯
├ 通：连接，相来往
└ 讯：消息，信息

消防
├ 消：消灭，除去
└ 防：防备

物资
├ 物：东西
└ 资：钱财，财务

追悼
├ 追：回顾过去
└ 悼：悲痛地怀念

迹象
├ 迹：事物留下的印象
└ 象：形状，样子

事项
├ 事：事情，事物
└ 项：事物的种类或条目

事态
├ 事：事情，事物
└ 态：事物的情况、样子

事务
├ 事：事情
└ 务：事情

推理
├ 推：根据已知的事实
│ 预测或断定其他
└ 理：道理，事理

值班
├ 值：轮流担任一定时间
│ 内的工作
└ 班：一天之内规定的工
作或执勤时间

转折
├ 转：改变方向、位置、形势、情况等
└ 折：改变成相反的方向

38 慧眼捕捉商机
Having an insight into business opportunities

你认为创业有窍门吗？请参考下表说一说你的看法。

	根据市场需求寻找商机
	研究竞争对手寻找商机
	从市场潜在需求寻找商机
	自己的看法：

2 想一想下列词语之间有什么联系。

替	替换、替代、替工、替身、替罪羊、代替、更替、顶替、交替、接替、冒名顶替
绝	绝缘、绝版、绝笔、绝交、绝迹、绝望、绝种、断绝、隔绝、回绝、拒绝、谢绝
单	单一、单独、单个、单传、单线、单身、单音、单用、单字、孤单
添	添加、添补、添丁、添仓、添设、添置、增添、添油加醋、添枝加叶、画蛇添足

课文 Text

屡次创业，却屡次惨遭失败的人总想知道，创业有窍门吗？当然有，窍门就是创业不可盲目，要依据市场规则捕捉商业机会。1903年吉列先生发明的可替换刮胡刀、1958年安藤百福发明的方便面、1992年戚石川兄弟发明的罐装八宝粥，都受到了市场热捧，并给创业者带来了数额可观的财富，成功的案例告诉我们：创业必须依据市场需求，这是一条永恒的真理，只要遵循这条规则，就没有不成功的道理。

独具慧眼，寻找机遇

市场需求无处不在，却往往易被忽视，别人没发现，或是不屑做的生意，往往孕育着机会。譬如，在新产品博览会上，王先生看到了一台叫作"电池分析修复仪"的小机器，它是用来修复手机电池的。手机电池的正常寿命是5至6年，事实上大家的电池却没有那么耐用，往往用一年就坏了，换新电池又很贵。而所谓坏了，只是化学物质沉淀到了绝缘层，美国人发现在一定条件下，能够将其还原成初始状态，于是发明了这种机器。王先生花4万元买下了这台能够像变魔术一样修好电池的机器。之后，在商场租了柜台，修一块电池收费50～70元，扣掉场地租金和税金，月收入上万，不到两个季度就轻松收回了本钱。类似这样的生意，即使碰上

生词 🔘 38-2

1. 屡次　lǚcì
   adv. time and again, repeatedly
2. 依据　yījù
   prep. according to
3. 罐　guàn
   n. can, tin
4. 数额　shù'é
   n. number, amount
5. 永恒　yǒnghéng
   adj. eternal, perpetual
6. 遵循　zūnxún
   v. to follow, to adhere to
*7. 不屑　búxiè
   v. to think sth. not worth doing
8. 孕育　yùnyù
   v. to be pregnant with, to breed
9. 博览会　bólǎnhuì
   n. exposition, expo
10. 耐用　nàiyòng
    adj. durable
11. 魔术　móshù
    n. magic
12. 扣　kòu
    v. to deduct, to discount,
    to take... off...
13. 季度　jìdù
    n. quarter (of a year)
14. 本钱　běnqián
    n. capital, seed money

通货膨胀，也不会对他产生丝毫影响。可是，如果你没有眼光，就看不到商机；如果你思维平庸，就发现不了商机；只要你勤劳，市场就捏在你的手里。

从竞争对手的产品缺陷中捕捉商机

研究竞争对手，从中找出其产品的弱点及营销的薄弱环节，是捕捉商机的有效方法之一。

当年，日渐兴旺的日本泡泡糖市场大部分被劳特垄断，江崎公司想扩充这方面的业务，于是专门成立了团队，研究劳特的产品，以寻找市场缝隙。研究结果发现劳特产品有四个不足：一，成年人的泡泡糖市场正在扩大，劳特的眼光仍停留在儿童身上；二，劳特的产品口味单一，而消费者的需求正在日益多样化；三，劳特泡泡糖外观老旧，缺乏新式样；四，劳特产品售价110日元，买时得掏10日元硬币，不方便购买者。于是江崎公司大胆布局，以成年人的消费需求为依据设计产品，又拟定了相应的市场营销策略，不久，推出四种功能型泡泡糖：

15. 通货膨胀	tōnghuò péngzhàng	inflation
16. 平庸	píngyōng	adj. mediocre, ordinary
17. 捏	niē	v. to hold between the fingers, to pinch
18. 环节	huánjié	n. link, segment
19. 兴旺	xīngwàng	adj. prosperous, flourishing, thriving
20. 垄断	lǒngduàn	v. to monopolize
21. 扩充	kuòchōng	v. to expand
22. 掏	tāo	v. to take out, to draw out
23. 布局	bùjú	v. to arrange, to lay out
24. 拟定	nǐdìng	v. to draw up, to work out
25. 策略	cèlüè	n. tactic, strategy

1. 司机用泡泡糖，以强烈的刺激消除司机的困倦。

2. 交际用泡泡糖，咀嚼后，可清洁口腔，消除口腔异味。

3. 体育用泡泡糖，内含多种维生素，有利于消除疲劳。

4. 轻松型泡泡糖，通过添加叶绿素，改变人的不良情绪。

在产品可口的同时，精心设计包装和造型，定价分50和100日元两种。江崎的产品物美价廉，风味独特。不靠广告吹捧，品尝后，消费者购买踊跃，市场需求呈井喷式爆发，财务收入也呈井喷式增长。这就是市场，只要你细心研究市场，细心研究消费者的需求，细心研究市场产品的优劣，对产品的不足做些局部改进，就有可能得到消费者的认可；你愈是为消费者考虑得周全，消费者愈是会慷慨地关照你。

从市场的潜在需求中寻找商机

在台湾某游览观光区，一台流动彩印车吸引了大家的目光，游客可以在这儿就近冲印照片，可以把喜欢的图案、肖像印在纪念品和纺织品上，作为独一无二的旅游留念。

流动彩印车的发明者是周家两兄弟，哥哥是汽车维修工，弟弟是摄影发烧友。台湾经济转型，旅游业成了台湾经济的支柱产业。兄弟俩发现，对照观光客的需求，传统彩色冲印做法太过陈旧，哪个游客能为冲洗照片等好几天？于是兄弟俩齐心协力，发

26. 咀嚼	jǔjué
	v. to chew
27. 可口	kěkǒu
	adj. yummy, delicious
28. 物美价廉	wù měi jià lián
	cheap and fine
29. 风味	fēngwèi
	n. flavor
30. 吹捧	chuīpěng
	v. to flatter, to tout
31. 品尝	pǐncháng
	v. to taste
32. 踊跃	yǒngyuè
	adj. eager, active
33. 井	jǐng
	n. well
34. 财务	cáiwù
	n. finance
35. 局部	júbù
	n. part
36. 关照	guānzhào
	v. to look after, to keep an eye on
37. 观光	guānguāng
	v. to go sightseeing
38. 就近	jiùjìn
	adv. (to do or get sth.) nearby, in the neighborhood
39. 肖像	xiàoxiàng n. portrait
40. 纺织	fǎngzhī
	v. to spin and weave
41. 留念	liúniàn
	v. to accept / keep as a souvenir
42. 对照	duìzhào
	v. to refer to, to compare
43. 齐心协力	qíxīn-xiélì
	to make concerted efforts, to be all of one mind, to bend their efforts in a single direction

挥各自的专长，以50万台币做资本，发明了这辆相当于一个小型专业冲印部的流动彩印车。

流动彩印车一出现就大受欢迎，每逢周末、节假日以及人多的场合简直就忙不过来，它最大的优势就是方便快捷，不像以往，要等上好几天。旅游淡季，彩印车还可以为学生的制服、不同规格的运动服印制高品质的图案。彩印车很快就有了知名度，收益也呈递增趋势，很短的周期就收回了成本。

可见，创业不是赌博，创业不能靠空想，能够准确预测市场的潜在需求，具有超前意识，是经营者必备的素质。

44. 专长	zhuāncháng	n. speciality
45. 资本	zīběn	n. capital
46. 以往	yǐwǎng	n. before, previously
47. 淡季	dànjì	n. slack season, off season
48. 制服	zhìfú	n. uniform
49. 规格	guīgé	n. standard, norm
50. 递增	dìzēng	v. to increase progressively
51. 周期	zhōuqī	n. period, cycle
52. 赌博	dǔbó	v. to gamble
53. 空想	kōngxiǎng	v. to daydream

改编自《经商就这几道》，编著：王咏星

注释（一）综合注释

Notes 1 屡次

"屡次"，副词，表示动作行为多次重复发生；一次一次地。例如：

（1）屡次创业，却屡次惨遭失败的人总想知道，创业有窍门吗？

（2）这些年，这里的水果种植业发展很快，无论是产量，还是品质都屡次在全国评比中名列前茅。

（3）有关部门屡次推出这样那样的制度或法规，目的是杜绝虚假广告的出现。

● **练一练**：用"屡次"完成句子

（1）关于亲情的主题，在他的日记中_____。

（2）从开始这个课题至今，他_____，却一点儿也没有灰心。

（3）妈妈_____我，改掉马虎的毛病，可我就是改不了。

2 依据

"依据"可以用作名词、动词和介词。

① "依据"，名词，表示作为论断前提或言行基础的事物。例如：

（1）你们这样做有法律依据吗？

（2）江崎公司大胆布局，以成年人的消费需求为依据设计产品，又拟定了相应的市场营销策略，不久，推出四种功能型泡泡糖。

② "依据"，动词，意思是根据某种事物。例如：

（1）创业必须依据市场需求，这是一条永恒的真理。

（2）事物规律和社会公认的原则、规范、秩序，是客观存在。人依据它们认识客体，思考和处理问题，他的思维就处于理性状态；反之就是反理性。

③ "依据"，介词。表示以某种事物作为论断的前提或言行的基础。例如：

（1）窍门就是创业不可盲目，要依据市场规则捕捉商业机会。

（2）依据专家的鉴定，这的确是汉代陶器真品。

● **练一练**：给"依据"选择适当的位置

（1）我们要A不同的B场合，C不同的交际对象，变换我们D的交际方式。

（2）白鹤梁水文题刻奉献给我们的是一份A珍贵的历代长江枯水水文统计表，为B后来的水利工程建设，提供了确切可靠的科学C，其D科学价值和应用价值不可估量。

（3）汉语不难学，不仅因为汉语的词在构造上有A着"词不离字"的特点，而且有些B汉字的字义也可以C字形推知一二，词义也可以从其所组成的字的意义D来推断。

（二）词语辨析

■ 就近——附近

	就近	附近
共同点	都有"靠近某地"的意思。	
	如：蔬菜、肉类等副食品就近/附近都能买到。	

	就近	附近
不同点	1. 副词，在附近，不到远处去。用在动词短语前。用于描述动作和行为。不能做主语和介词宾语。	1. 名词，附近的地方。可做主语或介词宾语。用于描述一种情况或状态。
	如：我这车快没油了，咱们就近找个加油站加油吧。	如：①他家就在附近，几分钟就到了。 ②附近有很多家超市。
	2. 不能修饰名词。	2. 形容词，靠近某地的。可修饰名词。
		如：有饭馆在路边乱倒垃圾，附近的居民对此表示不满。

● **做一做**：选择"就近"或"附近"填空

❶ 车在半路突然出现故障，幸好修理厂就在_____，及时排除了故障。

❷ 天气寒冷，大超市离得又远，她_____在路边买了点儿菜回来。

❸ 我习惯了每天去小区_____的公园散步，一天不去就浑身不舒服。

❹ 为了方便接送，他们_____给孩子找了一所私立学校。

（三）篇章修辞

修辞（10）反复

为了突出某个意思，强调某种感情，特意反复使用某个词语或句子，这种修辞方法叫作反复。例如：

（1）这就是市场，只要你细心研究市场，细心研究消费者的需求，细心研究市场产品的优劣，对产品的不足做些局部改进，就有可能得到消费者的认可。

（2）大山原来是这样的！月亮原来是这样的！核桃树原来是这样的！香雪走着，就像第一次认出养育她成人的山谷。

（3）大堰河，为了生活，在她流尽了她的乳液之后，她就开始用抱过我的双臂劳动了；她含着笑，洗着我们的衣服，她含着笑，提着菜篮到村边的结冰的池塘去，她含着笑，切着冰屑悉索的萝卜，她含着笑，用手掏着猪吃的麦糟，她含着笑，扇着炖肉的炉子的火，她含着笑，背了团箕到广场上去晒好那些大豆和小麦。

● 练一练：下列哪句没有使用反复修辞手法

（1）如果我拥有一片绿洲，我就用我的汗水去开垦它；如果我拥有一片绿洲，我就用我的诚心去改造它；如果我拥有一片绿洲，我就用我的智慧去播种它。

（2）终于自由啦！终于自由啦！感谢全能的上帝，我们终于自由啦！

（3）车到山前必有路，有路必有丰田车。

练习 **1** 模仿例子，写出更多的词语
Exercises

例：依据：根据　　据说　　论据　　证据

数额：＿＿＿＿＿＿＿＿＿＿＿＿＿＿＿＿＿＿＿＿＿＿

遵循：＿＿＿＿＿＿＿＿＿＿＿＿＿＿＿＿＿＿＿＿＿＿

孕育：＿＿＿＿＿＿＿＿＿＿＿＿＿＿＿＿＿＿＿＿＿＿

扩充：＿＿＿＿＿＿＿＿＿＿＿＿＿＿＿＿＿＿＿＿＿＿

2 用所给词语改写句子

❶ 虽然每次尝试都失败了，他却从来没想过放弃。　　　　　　（屡次）

＿＿＿＿＿＿＿＿＿＿＿＿＿＿＿＿＿＿＿＿＿＿＿＿＿＿＿＿＿＿＿＿。

❷ 这些问题各不相同，我们要按照不同情况分别处理。　　　　（依据）

＿＿＿＿＿＿＿＿＿＿＿＿＿＿＿＿＿＿＿＿＿＿＿＿＿＿＿＿＿＿＿＿。

❸ 公司规模越来越大，发展前景值得期待。　　　　　　　　　（扩充）

＿＿＿＿＿＿＿＿＿＿＿＿＿＿＿＿＿＿＿＿＿＿＿＿＿＿＿＿＿＿＿＿。

❹ 由于商品质量好、价格低，这家店吸引了很多顾客。　　（物美价廉）

＿＿＿＿＿＿＿＿＿＿＿＿＿＿＿＿＿＿＿＿＿＿＿＿＿＿＿＿＿＿＿＿。

❺ 希望大家共同努力，圆满完成这项艰巨的任务。　　　　（齐心协力）

＿＿＿＿＿＿＿＿＿＿＿＿＿＿＿＿＿＿＿＿＿＿＿＿＿＿＿＿＿＿＿＿。

❻ 跟以前不同的是，这学期我们修改了课程内容。　　　　　　（以往）

＿＿＿＿＿＿＿＿＿＿＿＿＿＿＿＿＿＿＿＿＿＿＿＿＿＿＿＿＿＿＿＿。

3 选择合适的词语填空

数额　　空想　　永恒　　资本　　依据

① 对创业者来说，创业不能靠_____，要_____市场需求。不管你最初有多少_____，只要勤奋努力，善于发现商机，不但能快速收回本钱，还能获得_____可观的财富。这是一条_____的真理。

专长　　财务　　通货膨胀　　季度　　策略

② 上个_____，一方面由于进入销售淡季，一方面受_____的影响，公司_____收入出现大幅度下滑。我们及时调整营销_____，发挥公司的_____，终于赢得了客户的认可，这个月销售业绩开始回升。

4 请划出下列语段中使用反复修辞方法的句子或短语

① 雪降落下来了，像柳絮一般的雪，像芦花一般的雪，像蒲公英的带绒毛的种子在风中飞，雪降落下来了。

② 沉默啊！沉默啊！不在沉默中爆发，就在沉默中灭亡。

③ 南国的红豆啊，红得活泼，像泉水的叮咚，让人清爽。南国的红豆啊，红得艳丽，像朝阳的初生，让人神往。

④ 风雪一天比一天大，人们的干劲一天比一天猛，砍下的毛竹一天比一天堆得高，架在两座高山之间的毛竹，也一天比一天往上长。

5 根据提示，简述课文主要内容

创业有什么窍门？请举例说明。	① 不可盲目，依据市场规则 ② 刮胡子刀，方便面，罐装八宝粥
王先生是怎样独具慧眼，寻找商机的？	① 手机电池正常寿命……，往往用一年……，换新电池……，美国人发明了…… ② 王先生买下……，租柜台……，月收入……，轻松收回…… ③ 如果你没有眼光，……，如果你思维平庸，……

江琦公司怎样从竞争对手的产品缺陷中捕捉商机？	❶ 劳特产品的不足：眼光仍停留在儿童身上，口味单一，外观老旧，售价不方便购买者 ❷ 江崎公司：推出四种功能型泡泡糖，精心设计包装和造型，定价方便购买者，消费者购买……，财务收入…… ❸ 只要你细心研究……，就会得到……
周家兄弟怎样从市场的潜在需求中寻找商机的？	❶ 流动彩印车的功能：冲印照片，把……印在纺织品上 ❷ 流动彩印车的由来：发明者；哥哥是……，弟弟是……；他们发现……；发挥各自专长，发明…… ❸ 流动彩印车大受欢迎：方便快捷；旅游淡季，还可以……；有了知名度，收益……

运用
Application　■ 写一写

　　本课通过几个典型案例告诉我们在创业时如何依据市场规则捕捉商机。市场需求无处不在，别人没发现，或是不屑做的生意，往往孕育着机会。研究竞争对手，从中找出其产品的弱点及营销的薄弱环节，也是捕捉商机的有效方法之一。能够准确预测市场的潜在需求，具有超前意识，也是经营者必备的素质。请参考练习5，把课文缩写成400字左右的短文。

扩展 Expansion — 词汇

（1）熟悉下列医学方面的词语，并选词填空

残疾　　化验　　解剖　　麻醉　　脉搏　　瘫痪　　按摩　　隔离

❶ 经过＿＿＿＿＿大便，医生终于找到了他腹泻的原因。

❷ 最近他常常腰疼，大夫给他＿＿＿＿＿以后，他感觉舒服多了。

❸ 由于这种疾病传染性很强，所以需要把病人＿＿＿＿＿开来。

❹ 全社会都要关爱＿＿＿＿＿人，在各方面多给他们提供方便。

❺ 那头大象死后，动物园的工作人员对它进行了＿＿＿＿＿，发现它的胃里有很多塑料制品。

❻ 你刚刚剧烈运动过，＿＿＿＿＿很快，所以休息一会再来测量吧。

❼ 在大的手术前都需要＿＿＿＿＿，这不但可以减轻病人痛苦，也方便大夫手术。

❽ 在车祸中，他腰部受到重伤，两腿失去知觉，从此＿＿＿＿＿在床了。

（2）阅读语段，熟悉下列金融方面的词语

　　在投资债券、基金等金融产品时，要注意统筹兼顾，分散风险。有的投资者追求高利润，总想在利润最高点卖出，这容易导致错过最佳成交时机，增加损失。有的投资者只关注年终分红，平时不怎么交易，这也会造成利润减少。

39 互联网时代的生活
Life in the Internet era

互联网已经影响到我们生活的方方面面，下边这些情况你遇到过哪些？请打钩并联系实际谈一谈互联网给我们带来的利与弊。

- 上网购物
- 上网查资料
- 在网上交朋友
- 上网看电影、听音乐

利

- 上网购物受骗了
- 遇到了假网站
- 电子邮箱密码被偷了
- 在网上交朋友遇到坏人

弊

2 想一想下列词语之间有什么联系。

集	集资、集中、集合、集聚、集会、集体、集装箱、集团、集结、汇集、交集、筹集、聚集、募集
资	资金、资产、资本、资源、资助、资费、工资、投资、集资、合资、物资、外资、薪资、邮资
筹	筹备、筹办、筹划、筹建、筹谋、运筹、自筹、统筹、众筹、一筹莫展、运筹帷幄
备	备查、备课、备考、备料、备用、备注、备忘、常备、准备、防备、储备、自备、预备、战备

课文 Text

互联网时代的生活 （1441字） 39-1

　　互联网走进我们的生活没有多久，却让我们实实在在地感受到生活正发生着日新月异的变化：它能让我们自如地通话、视频、传递消息，哪怕你在天涯海角；它使我们的生活不再单调沉闷，每一天都变得浪漫、丰富和充实；它将异地购物、交易变为了可能——我们足不出户就能任意挑选欧洲、美洲的商品；我们可以在网上学习，自由而不失乐趣；我们可以在网上找工作，简单又高效；我们能设立个人网站，既能扩大你的朋友圈，又能让你小小的虚荣心得到满足，如果愿意，还可以设立你亲友的网站，作为赠送给他们的珍贵礼物。最近又有人通过网络，和朋友、朋友的朋友合伙筹备资金买房，人们视这一创举为互联网金融下的新成员。

　　据集资买房项目发起人介绍，此次众筹买房，初步打算召集200人，筹备建立众筹家园小区。众筹购房的好处在于价格上拥有明显优势，比市场价至少便宜30%，无论是投资还是自住，都很合算。项目沟通中，微信是主要渠道，申请人递交申请表、通过审查后，缴纳100元订金就可以进入购房微信群，项目的设计、户型、价格等，全部由大家商议决定。

　　大家深知买房对每个家庭都不是小事，众筹买房也还处于摸索阶段，因此必须慎重。众筹的参与者，都是发起人的朋友，或者朋友的朋友。他们层次较高，都有一定的经济基础，对新生事物

生词 39-2

1. 日新月异　rìxīn-yuèyì
　　to change rapidly, to alter from day to day

2. 沉闷　chénmèn
　　adj. depressing, dull

3. 充实　chōngshí
　　adj. substantial, rich

4. 交易　jiāoyì
　　v. to do business, to trade

5. 任意　rènyì
　　adv. arbitrarily, willfully

6. 乐趣　lèqù
　　n. delight, pleasure, joy

7. 设立　shèlì
　　v. to establish, to set up

8. 虚荣　xūróng　n. vanity

9. 珍贵　zhēnguì
　　adj. valuable, precious

10. 合伙　héhuǒ
　　v. to form a partnership

11. 筹备　chóubèi　v. to prepare

12. 成员　chéngyuán　n. member

13. 初步　chūbù
　　adj. initial, preliminary

14. 合算　hésuàn
　　adj. worthwhile

15. 渠道　qúdào
　　n. channel, medium of communication

16. 审查　shěnchá
　　v. to examine, to check

17. 缴纳　jiǎonà　v. to pay

18. 摸索　mōsuǒ
　　v. to grope, to fumble, to feel about

19. 层次　céngcì
　　n. level, layer

有强烈好奇心，基本属于同一阶层。用发起人的话说，众筹不是在筹房子，而是在凝聚人心。房子怎么设计、对国家的政策怎么理解、失败了怎么办？大家每天在微信群你来我往，忙碌而欢乐，除了严肃的房价，这种共商大事的感觉也很让人上瘾。

什么是"众筹"？说白了，就是大家筹钱干一件事，上文所说的"众筹"更像是"集资建房"，广义的"众筹"则是互联网金融的产物，指创业者通过网络，向众多素不相识的人争取资金支持。

世界上第一个让初创公司梦想成真的众筹网站是美国的Kickstarter。2011年5月，中国国内首家众筹网站——点名时间，将Kickstarter的模式搬进了中国，之后众筹平台越来越多。如今，从慈善到图书出版，从电影制作到创业项目，众筹几乎跨越了所有的领域。

美微传媒CEO[①]朱江做梦也没想到，他成了传说中的"中国众筹第一人"。那年，朱江开始在淘宝网出售美微会员卡，购买会员卡就是购买公司的原始股票，每股1.2元，最低认购100股，也就是说，花120元就可以成为持有美微股份的股东。朱江回忆起当时钞票源源不断流进来的感觉，真的有种苦尽甘来的味道。时至今日，众筹项目有成功的，也有处境尴尬的，而国内第一家众筹网站"点名时间"三年以后却抛弃了"众筹"，改营其他。坦白地讲，国内用户与国外有很大区别，比如，Kickstarter上聚集着一群理

20. 阶层	jiēcéng
	n. stratum, rank
21. 政策	zhèngcè
	n. policy
22. 欢乐	huānlè
	adj. happy, joyous
23. 上瘾	shàng yǐn
	v. to be addicted (to sth.), to get into the habit (of doing sth.)
24. 慈善	císhàn
	adj. charitable
25. 股份	gǔfèn
	n. share, stock
26. 股东	gǔdōng
	n. shareholder, stockholder
27. 钞票	chāopiào
	n. banknote, paper money
28. 苦尽甘来	kǔjìn-gānlái
	all sufferings have their reward, after suffering comes happiness
29. 尴尬	gāngà　adj. awkward
30. 抛弃	pāoqì
	v. to abandon, to cast aside
31. 坦白	tǎnbái
	adj. honest, frank

① CEO：首席执行官。［Chief Executive Officer的缩写］

想主义者，他们心中充满向往，购买时感性因素超越了理性。国内用户则希望尽快得到回报，甚至有些急功近利，而用户的心态很大程度上决定了项目成功的可能性。再比如，国内用户对收获时间和产品质量要求较高，如果认为产品不符合预期，或是项目进展比计划的慢，就会发牢骚，有怨气。另外，大部分投资者对众筹还是持观望态度。因此，迄今为止众筹在国内还是一个看起来很美、做起来吃力的事情。

是啊，在互联网变得家喻户晓，给我们的生活带来许许多多的方便和乐趣的同时，也给我们增添了无穷无尽的烦恼，众筹平台上有，其他领域也有。据官方报道，尚未查明身份的罪犯盗窃了1800万个电子邮件账户及其密码；仅有两三个人的皮包公司①公然冒充国家部门开设了一家假网站，大肆进行诈骗，如今已被警方依法刑事拘留；还有时时活跃着的网络黑客②。每次类似这些败坏互联网名誉的事件一经曝光，就会使我们有触目惊心之感。

这就是互联网时代，在我们对它爱不释手的同时，也不免对它心存担忧。

32.	急功近利	jígōng-jìnlì to be anxious to achieve quick success and get instant benefits
33.	进展	jìnzhǎn v. to make progress
34.	牢骚	láosāo n. to grumble, to complain
35.	迄今为止	qìjīn wéizhǐ so far, up to now
36.	吃力	chīlì adj. strenuous, laborious
37.	家喻户晓	jiāyù-hùxiǎo to be known to every household
38.	无穷无尽	wúqióng wújìn inexhaustible, boundless, endless, from everlasting to everlasting
39.	罪犯	zuìfàn n. criminal, offender
40.	盗窃	dàoqiè v. to steal
41.	公然	gōngrán adv. openly, undisguisedly
42.	冒充	màochōng v. to pretend to be
43.	大肆	dàsì adv. without restraint, recklessly
44.	诈骗	zhàpiàn v. to defraud
45.	拘留	jūliú v. to detain
46.	败坏	bàihuài v. to ruin, to corrupt
47.	名誉	míngyù n. fame, reputation
48.	曝光	bào guāng v. to expose

① 皮包公司：指没有固定资产、没有固定经营地点及人员，只提着皮包，从事社会经济活动的人或集体，多挂有公司的名义。
② 黑客：指通过互联网非法侵入他人的计算机系统，查看、更改、窃取保密数据或干扰计算机程序的人。

注释（一）综合注释
Notes **1** 任意

"任意"，副词，意思是想怎么做就怎么做，不受约束，不受限制。例如：

（1）合同一旦生效，任何一方都不能任意反悔了。

（2）它将异地购物、交易变为了可能——我们足不出户就能任意挑选欧洲、美洲的商品……

（3）科学家很早以前就发现蝙蝠能在黑暗中任意飞行，既能躲避障碍物也能捕食飞行中的昆虫，但是塞住蝙蝠的双耳、封住它的嘴后，它们在黑暗中就寸步难行了。

练一练：参考提示词，用"任意"完成句子

（1）利用GPS和电子地图可以实时显示出车辆的实际位置，并可_____，还可以还原、换图。（放大）

（2）联合国规定，官方正式使用的工作语言有六种，按英文字母排列顺序为：阿拉伯文、中文、英文、法文、俄文和西班牙文。六种语言同等有效，联大代表们发言时可以_____。（选用）

（3）把人视为自然界的主人，对自然_____，这种价值观念是绝对错误的。（改造）

2 尚未

意思是"还没有"，用于书面。例如：

（1）据官方报道，尚未查明身份的罪犯盗窃了1800万个电子邮件账户及其密码……

（2）所谓潜在的市场，就是客观上已经存在或即将形成，但尚未被人们认识的市场。

（3）中国的现代化发展不过短短几十年，和当代强国有着很大的差距。就像一个久病初愈的人刚刚走下病床，身心的疲倦尚未消退，便一脚踏入了飞驰向前的竞争轨道。

● 练一练：请把下列6个小句组合成3个连贯的语段

A.生活的全部意义在于无穷地探索尚未知道的东西

B.战后，人们生活已有所好转，由于电视尚未出现，电影便成了当时最热门的娱乐

C.再差劲的电影都不必担心没有观众，这使制片公司和电影院老板笑逐颜开

D.由于大学阶段学业尚未完成，事业尚未确立，经济上也尚未独立

E.在于不断地增加更多的知识

F.大学生即使谈恋爱成功率也不高

（1）　　　　　　（2）　　　　　　（3）

（二）词语辨析

▇▇ 乐趣——兴趣

	乐趣	兴趣
共同点	都是名词，都可以表示对事物怀有的愉快的情绪，但一般不能换用。	
共同点	如：① 他在音乐中找到了乐趣。 ② 他对音乐很感兴趣。	
不同点	1.表示使人感到快乐的趣味。	1.表示一种喜好的情绪。
不同点	如：工作中的乐趣是无穷的。	如：这件事引起了我极大的兴趣。
不同点	2.用于参加某种活动时或参加活动后的感受。	2.用于对某种事物或活动的态度，可用在未接触或未参加时，也可用于参加过程中。
不同点	如：他能在绘画中找到乐趣。	如：我还没看那部电影，但它已经引起了我的兴趣。
不同点	3.常常跟"感（觉）到、找到、成为、享受"等动词搭配。	3.常常跟"感、引起、怀着、培养"等动词搭配。
不同点	如：玩游戏已经成为了他生活中的乐趣。	如：我对篮球不感兴趣。

● **做一做**：选择"乐趣"或"兴趣"填空

① 他那么喜欢下围棋，可我却感觉不到其中的_____。

② _____是可以培养的，多接触接触就喜欢了。

③ 只有乐观的人才能随时享受生活中的_____。

④ 听说这本书极受年轻人的推崇，这引起了我的_____。

（三）篇章修辞

修辞（11）夸张

故意对客观事物做扩大或缩小的描述，这种修辞手法叫夸张。夸张手法的运用有利于突出事物的本质和特征，激发起人们丰富的想象。例如：

（1）它能让我们自如地通话、视频、传递消息，哪怕你在天涯海角。

（2）他种的瓜不光甜，几十里外就能闻到瓜香。

（3）看见这鲜绿的麦苗，就闻出白面包子的香味来了。

● **练一练**：下列哪句没有使用夸张修辞手法

（1）我们年轻的时候攒点儿钱多难呐，真是恨不得一分钱掰成两半花。

（2）密密麻麻的雨点从天空瓣里啪啦落了下来。

（3）阿姨说张大夫医术高明，看见他，病就好了一半。

练习
Exercises

1 模仿例子，写出更多的词语

例：沉闷：烦闷　　苦闷　　郁闷　　闷闷不乐

审查：_____

缴纳：_____

股份：_____

诈骗：_____

2 用所给词语完成句子

① 屋子里坐满了人，谁也不发表意见，_____。（沉闷）

② 她每天忙个不停，_____。（充实）

③ 那个魔术师太神奇了，你＿＿＿＿＿＿＿，他都能猜出来。（任意）

④ 我跟合伙人一起＿＿＿＿＿＿＿＿＿＿＿＿＿＿＿。（筹备）

⑤ 在一些贫穷落后的偏远山区，＿＿＿＿＿＿＿＿＿。（尚未）

⑥ 他们这伙人＿＿＿＿＿＿＿＿＿＿＿＿＿＿，引起了公愤。（大肆）

3 选择合适的词语填空

充实　　无穷无尽　　上瘾　　乐趣　　沉闷

① 　　旅游一改我们以往＿＿＿＿＿＿的生活，使它变得浪漫而＿＿＿＿＿＿；旅游不但可以让我们增长知识，旅行中的各种见闻还可以带给我们＿＿＿＿＿＿的快乐；因为旅行带给我们的＿＿＿＿＿＿多多，所以它是一件让人＿＿＿＿＿＿的事情。

渠道　　迄今为止　　交易　　缴纳　　坦白

② 　　有数据显示，＿＿＿＿＿＿，中国手机用户大约为12.4亿户，约占全国总人口的92%。手机在人们的生活中已经必不可少，如今打电话只是手机的多种功能之一，上网、看书、网上＿＿＿＿＿＿各种费用、用手机随时随地进行股票＿＿＿＿＿＿……，手机大大地方便了人们的生活。特别是有了微信以后，手机为人们交友、聊天开辟了新的＿＿＿＿＿＿，提供了新的方式。＿＿＿＿＿＿地说，我们已经离不开手机了。

4 请说一说下列语段中是怎样使用夸张的修辞方法的

① 我住的房间，只有巴掌这么大。

＿＿＿＿＿＿＿＿＿＿＿＿＿＿＿＿＿＿＿＿＿＿＿＿＿＿＿

② 他饿得可以把一头大象吃下去。

＿＿＿＿＿＿＿＿＿＿＿＿＿＿＿＿＿＿＿＿＿＿＿＿＿＿＿

③ 整个礼堂静得连掉根针都能听见。

＿＿＿＿＿＿＿＿＿＿＿＿＿＿＿＿＿＿＿＿＿＿＿＿＿＿＿

④ 天热得像下火一样，柏油路都烤化了。

＿＿＿＿＿＿＿＿＿＿＿＿＿＿＿＿＿＿＿＿＿＿＿＿＿＿＿

5 根据提示，简述课文主要内容

互联网走进我们的生活以后，生活发生了哪些变化？	① 自如地…… ② 生活不再单调…… ③ 将……变成了可能 ④ 网上学习、找工作、设立个人网站 ⑤ 合伙集资买房
简述人们如何利用网络平台筹备买房？	① 众筹购房的好处…… ② 微信是众筹的主要渠道…… ③ 众筹的参与者…… ④ 大家在交流平台上谈……
众筹和众筹网站	① 什么是众筹？ ② 众筹在中国的发展怎么样？
人们为什么对互联网也会心存担忧？	① 假网站 ② 网络黑客

运用
Application

写一写

　　本课介绍了互联网时代的生活，有利也有弊。互联网在带给人们便捷的生活的同时，也给我们带来一些新的问题。互联网对你和你身边的人有什么影响呢。请寻找5个不同年龄、不同性别、不同职业的对象进行调查，将调查内容填入表中，将调查内容以"互联网与我们"为题写一篇不少于400字的调查报告。

性别	年龄	职业	每天上网多长时间	上网干什么	对互联网的主要看法
女	61	教师	1小时	看新闻，收发邮件	方便，但不要上瘾

扩展
Expansion

■■ 词汇

（1）熟悉下列法律方面的词语，并选词填空

辩护　　当事人　　诽谤　　判决　　宪法　　治安　　走私　　公证

❶ 现在很多年轻人在结婚前都要＿＿＿＿＿一下自己的婚前财产。

❷ 虽然他犯罪了，但他有权请律师为自己＿＿＿＿＿。

❸ 你说的这些事完全是无中生有，这是对我的＿＿＿＿＿。

❹ ＿＿＿＿＿是国家的最高法，具有最高的法律效力，是其他立法工作的
根据。

❺ 他试图逃避海关检查，打算＿＿＿＿＿大批香烟入境。

❻ 案件审理结束，法官＿＿＿＿＿如下：甲方赔偿乙方的所有损失。

❼ 为了调查案情，警察走访了许多＿＿＿＿＿。

❽ 这个区域的社会＿＿＿＿＿良好，从未发生过恶性案件。

（2）阅读语段，熟悉下列政治方面的词语

　　在新一届总统选举中，两大政党各有一名候选人，A党的候选人是刚刚
晋升为党主席的X先生，B党的候选人是一位女士，经过激烈的竞选，X先生
当选为新一届总统，作为国家的最高行政长官，他任命了最高法院的院长。

人类超能力会改变世界纪录吗
Will superhuman powers change the world records?

热身 1
Warm-up

请对照图片熟悉下列身体部位的名称，并思考一下这些器官与运动的关系。

肌肉（jīròu）

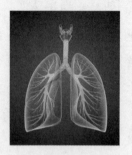

肺（fèi）

膝盖（xīgài）

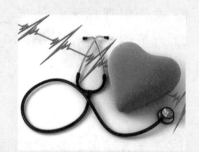

心脏（xīnzàng）

2 想一想下列词语之间有什么联系。

短	短跑、短程、短刀、短工、短见、短裤、短篇、短期、短语、短暂、短小、长短、简短、缩短
静	静止、静态、静养、静坐、安静、动静、平静、文静、心静、镇静、平心静气、风平浪静
限	极限、无限、有限、上限、下限、期限、年限、时限、宽限、界限、权限、限制、限度
同	同胞、同辈、同行、同等、同志、同名、同学、同屋、同乡、同样、同类、同感、同意、相同

课文 Text

人类超能力会改变世界纪录吗 （1367字） 40-1

我们一直以为世界纪录就是要不断被打破，但国际田联①公布的各项比赛成绩却告诉我们，多数世界纪录都是在20世纪90年代创造的。此外，更有人引用《每日电讯报》的说法称：截至2060年，人类可能不会再创造体坛新纪录。

一个人的体能究竟有多大？人们在力争打破世界纪录的同时，不禁会对自己的身体产生疑问。比如说，100米短跑最快需要几秒？这不是一个简单的谁拿冠军、谁拿亚军、谁拿季军的问题，这是对人类体能极限的追问。

有专家认为，人类跑100米速度的极限应该是10.42秒，再考虑一般跑到80米才能达到全速，人类可能达到的最快速度大约为11.96秒。

然而，在那条狭窄的跑道上，任性的牙买加田径比赛选手博尔特简直就不把世界纪录放在眼里！2008年6月1日，在美国纽约②锐步大奖赛上，他以9.72秒的成绩获得100米短跑冠军，打破了同胞鲍威尔保持的9.74秒的世界纪录；2008年8月16日北京奥运会百米决赛电视直播中，摇动的旗帜汇成了沸腾的海洋，他以9.69秒的成绩再次刷新世界纪录，领先亚军0.2秒。振奋之余人们不禁再次追问——人体运动到底有没有极限？

生词 40-2

1. 引用　yǐnyòng　v. to cite
2. 截至　jiézhì
   v. by (a specified time), up to
3. 力争　lìzhēng
   v. to work hard for,
   to strive for
4. 亚军　yàjūn
   n. second place, runner-up,
   silver medal
5. 季军　jìjūn
   n. third place winner,
   second runner-up
6. 极限　jíxiàn
   n. limit, maximum,
   extremity
7. 狭窄　xiázhǎi
   adj. narrow, cramped
8. 任性　rènxìng
   adj. capricious, self-willed
9. 田径　tiánjìng　n. track and field
10. 选手　xuǎnshǒu
    n. athlete selected for a
    sports meet, competitor
11. 同胞　tóngbāo
    n. fellow countryman,
    compatriot
12. 直播　zhíbō　v. to broadcast live
13. 旗帜　qízhì　n. flag
14. 领先　lǐng xiān
    v. to be in the lead,
    to (take the) lead

---

① 国际田联：指国际田径联合会（International Association of Athletics Federations, IAAF），简称国际田联，是一个国际性的田径运动的管理组织。

② 纽约：New York，美国重要城市。

有研究者分解了博尔特取得9.72秒成绩的那次比赛动作，并利用公式做了精密计算，结论是：他是从静止状态开跑的，9.72秒还包括了加速的时间，如果他跑200米，那么，第二个100米会比第一个100米快，因为没有起跑的过程。

数据相差如此悬殊，我们到底信谁？飞人博尔特创造的奇迹怎么解释？我们还能迷信专家吗？一时舆论哗然，质疑不断，专家、学者、网民纷纷自发掀起人体极限的讨论。

有人说，空洞的结论没有说服力，我们还是看看人体结构吧。运动员向前跑的动力大部分由股四头肌提供，股四头肌腱与膝盖连接，运动员才可以加速，这一结构也成为了运动员加速的制约因素，原理就是，超越极限的速度需要的力量足以造成股四头肌腱和膝盖间的连接点撕裂。人体结构是确定的，人体活动当然也有一定的范围，科学就是这么冷酷。

也有人从运动医学和心理学角度出发，其观点也不无道理。跑步看起来是用腿，其实要动员全身的力量，牵扯到各个器官。拿胸膛里的心脏来说，它

15. 分解	fēnjiě
v. to decompose, to disintegrate, to disassemble	
16. 公式	gōngshì n. formula
17. 精密	jīngmì
adj. precise, accurate	
18. 悬殊	xuánshū
adj. with great disparity, with a wide gap	
19. 迷信	míxìn
v. to have blind faith in	
20. 舆论	yúlùn n. public opinion
21. 自发	zìfā adj. spontaneous
22. 掀起	xiānqǐ
v. to start, to set off, to stir up	
23. 空洞	kōngdòng
adj. empty, hollow, devoid of content	
24. 制约	zhìyuē
v. to restrict, to constrain	
25. 原理	yuánlǐ n. principle
26. 冷酷	lěngkù
adj. unfeeling, callous, grim	
27. 动员	dòngyuán
v. to mobilize, to arouse	
28. 牵扯	qiānchě v. to involve
29. 胸膛	xiōngtáng n. breast, chest

管辖着全身，如果它出了故障，腿再快也不管用。人进入运动状态后，心率加快，运动时最高心率＝（220－年龄）次/分。运动时的心率应在一定范围内，低限一般是最高心率的60%，高限一般是最高心率的85%。如一名40岁的人，运动时的心率应保持在每分钟108－150次左右，严禁超过心率的极限值，否则会因供血不足发生猝死。

每个人的运动极限都不同，长期正规科学的训练，多次接近实战性的"演习"，可以让自己越来越接近极限。人的心理因素弹性很大，积极的精神状态可以激发身体潜能，从而让运动员在竞赛中超水平发挥。

体能只有60%是与生俱来的，其余40%要通过训练等外界影响去发掘。故而，体能、心理素质好的运动员，会成为优先选拔的对象。年轻运动员身体资产丰厚，得天独厚的优势就是他们的年龄；老运动员作风过硬，顽强，有志气，不屈服，这些使不少教练员对打破世界纪录依然充满信心。体育界有科说法："运动员选对了，就成功了一半；通过训练让运动员的超能力发挥出来，那就是百分之百的成功。"

优秀的选手和科学训练相辅相成，是通往成功的有效手段。

30. 管辖	guǎnxiá	v. to rule, to govern
31. 故障	gùzhàng	n. malfunction, breakdown
32. 严禁	yánjìn	v. to forbid strictly
*33. 猝死	cùsǐ	v. to die suddenly
34. 正规	zhèngguī	adj. regular, standard, normal
35. 演习	yǎnxí	v. to maneuver, to exercise, to drill
36. 弹性	tánxìng	n. elasticity, resilience
37. 竞赛	jìngsài	v. to have a contest
38. 优先	yōuxiān	v. to take precedence, to have priority
39. 选拔	xuǎnbá	v. to select, to choose
40. 资产	zīchǎn	n. property, asset
41. 得天独厚	détiāndúhòu	to be richly endowed by nature, to abound in gifts of nature, to have particularly favorable natural conditions
42. 作风	zuòfēng	n. style, style of work, way
43. 顽强	wánqiáng	adj. indomitable, staunch, tenacious
44. 志气	zhìqì	n. aspiration, ambition, morale
45. 屈服	qūfú	v. to surrender, to yield, to bow to
46. 相辅相成	xiāngfǔ-xiāngchéng	to exist side by side and play a part together, to be inseparably interconnected, to be supplementary to each other

如今，教练员依托电脑、超高速摄影机等先进装备以及技术分析等手段来指导训练，用新颖的战术思想指导比赛。谁能顽强地越过人体极限这道"悬崖峭壁"，找到体能的"突破口"，谁就能成为无数竞争者中涌现出来的明星，这也是一个公认的事实。

改编自《科学画报》同名文章，作者：王令朝

47.	依托	yītuō
		v. to rely on, to depend on
48.	装备	zhuāngbèi
		v. to be equipped with
49.	战术	zhànshù n. tactics
50.	悬崖峭壁	xuányá qiàobì
		precipitous rock faces and sheer cliffs, sheer precipice and overhanging rocks
51.	涌现	yǒngxiàn
		v. to emerge in large numbers, to spring up

注释（一）综合注释
Notes 1 　（把）……放在眼里

"（把）……放在眼里"指重视；看得起。多用于口语。例如：

（1）在那条狭窄的跑道上，任性的牙买加田径比赛选手博尔特简直就不把世界纪录放在眼里！

（2）一时间，大家都想挣钱，而且是想短时间挣大钱，以致一些商家根本不把10%的利润率放在眼里。

（3）烈日暴晒、大雨浇头、蚊虫叮咬，这些别人吃不了的苦他都不放在眼里，他心里只有一个念头：这次只能成功，不能失败。

● **练一练**：选择合适的短语填空

把这个毛头小子放在眼里　谁都不放在眼里　把任何危险都不放在眼里

（1）他仗着自己业务好，_____，经理来了也一样。

（2）他知道，现在忠诚、勇敢、智慧的全部内容就是：保持头脑清醒；沉着，_____。

（3）他这位世界冠军怎么会_____，可是几个回合下来就发现，这毛头小子还真是轻视不得。

2 不无

"不无"，动词，意思是"不是没有，多少有些"。例如：

（1）也有人从运动医学和心理学角度出发，其观点也不无道理。

（2）他写的剧本里有很多关于股市及金融的内容，大概和他曾经从商不无关系。

（3）会上，经理不无得意地宣布，我们的产品被评为"消费者信得过产品"。

● **练一练**：选择合适的词语填空

不无道理　　不无效果　　不无好处

（1）羊奶是一个值得发展的产业。按照某机构的分析，生产羊奶的土地和能源利用率比牛奶要高。因此，羊奶产业的发展，对于人类的可持续发展是_____的。

（2）有研究成果证实，自然香料具有抑制霉菌生长和防止黄曲霉毒素生成的作用，对预防癌症的发生_____。

（3）男人爱车，女人爱房，这话_____。女人对房子的渴望远高于男性，对于现代家庭来说，买房的最终决定权也越来越多地掌握在女性手中。

（二）词语辨析

■ 顽强——坚强

	顽强	坚强
共同点	形容词，都有强固有力，不可动摇和摧毁的意思。	
	如：他很顽强/坚强，没有向困难低过头。	
不同点	1. 可用于贬义。	1. 不能用于贬义。
	如：改革受到旧势力的顽强抵抗。	
	2. 既可描述精神意志，又可描述动作行为，有"不放弃"的意思。	2. 一般只用于描述精神意志，强调意志的"强大"，不用于描述动作行为。

	顽强	坚强
不同点	如：①我是越老越顽强，越老越快乐。 ②他们顽强拼搏，终于赢得了第一名。	如：他们坚强拼搏。（×）
	3. 没有右边这个用法。	3. 动词，使坚强。 如：丰富自己的知识，坚强自己的信心。

● **做一做**：判断正误

❶ 他以坚强的意志坚持治疗，苦练身体，终于战胜了病魔。 （　　）

❷ 你一定要顽强自己的意志，做生活的强者。 （　　）

❸ 她在腿部受伤的情况下顽强奋战，终于获得冠军。 （　　）

❹ 不管敌人怎样坚强抗拒，最终注定要失败。 （　　）

（三）篇章修辞

■■ 篇章（9）先总说，再分说

这是一种常见的篇章结构，第一句话是总括，后面的句子都是用具体的论点来说明第一句话的内容。例如：

（1）我的家乡三面环海，一年四季气候都不错。（总说）春天，到处都是绿色，夏天只是中午有点儿热，秋天到处都是黄的和红的树叶，漂亮极了，冬天有时会下雪，但天气不会太冷。（分说）

（2）猫的性格实在有些古怪。（总说）说它老实吧，它有时候的确很乖。它会找个暖和的地方，成天睡大觉，无忧无虑，什么事也不过问。可是，它决定要出去玩儿玩儿，就会出走一天一夜，任凭谁怎么呼唤，它也不肯回来。说它贪玩吧，的确是呀，要不怎么会一天一夜不回家呢？可是，它听到老鼠的一点儿响动，又是多么尽职。它屏息凝视，一连就是几个钟头，非把老鼠等出来不可！（分说）

（3）也有人从运动医学和心理学角度出发，其观点也不无道理。跑步看起来是用腿，其实要动员全身的力量，牵扯到各个器官。（总说）拿胸膛里的心脏来说，它管辖着全身，如果它出了故障，腿再快也不管用。人进入运动状态后，心率加快，运动时最高心率＝（220－年龄）次/分。运动时的心率应在一定范围内，低限一般是最高心率的60%，高限一般是最高心率的85%。如一名40岁的人，运动时的心率应保持在每分钟108－150次左右，严禁超过心率的极限值，否则会因供血不足发生猝死。（分说）

● **练一练**：根据上述表达方式完成语段

（1）我们班的李明最有才华是公认的。高中三年，他的学习成绩一直名列前茅，他文章写得漂亮，还擅长画画儿，对了，＿＿＿＿＿

＿＿＿＿＿＿＿＿＿＿＿＿＿＿＿＿＿＿＿＿＿＿＿＿＿＿

＿＿＿＿＿＿＿＿＿＿＿＿＿＿＿＿＿＿＿＿＿＿＿＿＿。

（2）我们很快就成了好朋友。每天早上我们一起去学校，＿＿＿＿＿＿

＿＿＿＿＿＿＿＿＿＿＿＿＿＿＿＿＿＿＿＿＿＿＿＿＿＿

＿＿＿＿＿＿＿＿＿＿＿＿＿＿＿＿＿＿＿＿＿＿＿＿＿。

- -

练习
Exercises

1 模仿例子，写出更多的词语

例：领先：<u>争先　　首先　　先后　　先进</u>

狭窄：＿＿＿＿＿＿＿＿＿＿＿＿＿＿＿＿＿＿

空洞：＿＿＿＿＿＿＿＿＿＿＿＿＿＿＿＿＿＿

冷酷：＿＿＿＿＿＿＿＿＿＿＿＿＿＿＿＿＿＿

竞赛：＿＿＿＿＿＿＿＿＿＿＿＿＿＿＿＿＿＿

2 用所给词语或结构完成句子

❶ ＿＿＿＿＿＿＿＿＿＿＿＿＿＿，这项工作已进行了一大半。（截至）

❷ 在比赛中，我们＿＿＿＿＿＿＿＿＿＿＿＿＿＿＿＿。（力争）

❸ 他＿＿＿＿＿＿＿＿＿＿＿＿，让老板恼羞成怒。（把……放在眼里）

❹ 听说他的家庭遭遇了变故，热心的邻居们＿＿＿＿＿＿＿＿。（自发）

❺ 老友的这些话＿＿＿＿＿＿＿＿＿＿＿＿，我会谨记心间。（不无）

❻ 这都是木结构建筑，＿＿＿＿＿＿＿＿＿＿＿＿＿＿＿＿。（严禁）

3 选择合适的词语填空

直播　　极限　　田径　　领先　　冠军

① 昨天的世界_____锦标赛很精彩。男子100米决赛中，_____和亚军的争夺引人注目。在电视_____中，大家可以看到，冠军选手_____亚军0.2秒，刷新了世界纪录，再次向人类运动_____发起挑战。

竞赛　　正规　　顽强　　选手　　力争

② 运动员通过科学_____的训练，再加上良好的心理素质和_____上游的精神，是可以在_____中超水平发挥的。也就是说，一个优秀的_____，除了要具有良好的身体条件以外，_____的意志也是必不可少的。

4 请分析下列语段中总说和分说的论点分别是什么

① 郭春英是个俊俏能干的女人。她每天要到25公里外的郊区去上班，不论早、中、晚班，9年来没迟到过，再苦再累也要把工作干好。回到家，她又是好妻子，买菜、做饭、洗衣服、收拾屋子，里里外外一把好手。

总说：_____

分说：_____

② 我从小喜爱唱歌，上学时一直是文艺活动的积极分子，中学毕业以后一心想当一名文艺工作者。22岁时真的成了一个歌舞团的演员，可惜没唱几年歌舞团解散我也改了行。1986年，我的文艺生活又重新开始，我参加了老年合唱团，每星期一下午是我们合唱团活动的时间，每年都到很多城市去演出。

总说：_____

分说：_____

5 根据提示，简述课文主要内容

对世界纪录的看法	❶ 引用《每日电讯报》的说法 ❷ 一个人体能究竟有多大 ❸ 专家认为百米最快速度是多少
以博尔特为例说说打破世界纪录的过程	❶ 博尔特：2008.6.1，纽约…… 　　　　　2008.8.16，北京…… ❷ 分解博尔特的动作，精密计算，结论
通过对人体的分析来看人类运动极限	❶ 从身体结构看：动力来源，超越极限速度会…… ❷ 从运动医学和心理学角度分析：心脏、心率 ❸ 从体能和心理素质方面分析 ❹ 优秀选手和科学训练相辅相成

运用
Application　■ 写一写

　　世界纪录能不断被打破吗？人类的运动极限到底在哪儿？本课通过短跑世界冠军博尔特的例子告诉人们，人类运动极限可以不断被打破。但专家们却从人体自身结构和运动医学等角度分析，认为人类运动是有极限的，但另一方面科学的训练又能不断提高运动员的运动成绩。请参考练习5，把课文缩写成400字左右的短文。

扩展 **1** 词汇
Expansion

（1）熟悉下列军事方面的词语，并选词填空

冲突　　国防　　戒备　　投降　　牺牲　　巡逻　　掩护　　阵地　　后勤

① 由于边界划分不清，两国士兵常常发生＿＿＿＿＿＿＿。

② 他为国＿＿＿＿＿＿＿时年仅16岁，人们永远怀念这个英勇的少年。

③ 他们利用树木山丘做＿＿＿＿＿＿＿，与敌人进行周旋。

④ 战士们说："只要我们在，＿＿＿＿＿＿＿就在，我们要用生命来保卫。"

⑤ 军事重地，＿＿＿＿＿＿＿森严，连只苍蝇都飞不进来。

⑥ 边防战士们每天都要沿着国境线来回＿＿＿＿＿＿＿。

⑦ 只有加强＿＿＿＿＿＿＿建设，才能保证国家的安全。

⑧ 战斗进行得非常艰苦，有一些士兵放弃对抗，举手＿＿＿＿＿＿＿了。

⑨ 在战争中，＿＿＿＿＿＿＿补给非常重要，是军队的生命线。

（2）将下列政治方面的词语与其对应的意思连线

殖民地	自己的国家。
主权	处于对立的双方之间，不倾向于任何一方。
政权	被别的国家剥夺了政治、经济的独立权利，并受它管辖的地区或国家。
祖国	一个国家在其领域内拥有的最高权力。
国务院	政治上的统治权力。
中立	认识和处理问题时所处的地位和所抱的态度，有时特指的政治方面。
立场	中国最高国家权力机关的执行机关，即最高国家行政机关。

词语总表 Vocabulary

词性对照表 Abbreviations of Parts of Speech

词性 Part of Speech	英文简称 Abbreviation	词性 Part of Speech	英文简称 Abbreviation
名词	n.	副词	adv.
动词	v.	介词	prep.
形容词	adj.	连词	conj.
代词	pron.	助词	part.
数词	num.	叹词	int.
量词	m.	拟声词	onom.
数量词	num.-m.	前缀	pref.
能愿动词	mod.	后缀	suf.

生词 New Words

词语 Word/Phrase	拼音 Pinyin	词性 Part of Speech	词义 Meaning	课号 Lesson
		A		
挨	ái	v.	to suffer, to endure	26
癌症	áizhèng	n.	cancer	30
爱不释手	àibúshìshǒu		to like / love sth. so much that one cannot bear to part with it	27
爱戴	àidài	v.	to love and esteem	36
案例	ànlì	n.	case	23
昂贵	ángguì	adj.	expensive	22
		B		
扒	bā	v.	to push aside	37
把关	bǎ guān	v.	to check on	21
把手	bǎshou	n.	handle	21
霸道	bàdào	adj.	overbearing, domineering	27
败坏	bàihuài	v.	to ruin, to corrupt	39
拜年	bài nián	v.	to pay a New Year call	33
颁布	bānbù	v.	to promulgate, to issue	36
半途而废	bàntú'érfèi		to give up halfway	31

扮演	bànyǎn	v.	to act, to play the part of	32
伴侣	bànlǚ	n.	companion	22
榜样	bǎngyàng	n.	example, model	32
包袱	bāofu	n.	burden, load	37
保管	bǎoguǎn	v.	to guarantee	21
保密	bǎo mì	v.	to maintain secrecy, to keep sth. secret	25
保守	bǎoshǒu	adj.	conservative	36
保障	bǎozhàng	v.	to guarantee	22
保重	bǎozhòng	v.	to take care of oneself	31
抱负	bàofù	n.	ambition, aspiration	32
曝光	bào guāng	v.	to expose	39
爆发	bàofā	v.	to explode, to burst	31
爆炸	bàozhà	v.	to explode, to go off, to blow up	33
卑鄙	bēibǐ	adj.	mean, despicable	36
悲哀	bēi'āi	adj.	sad, sorrowful	24
备忘录	bèiwànglù	n.	memorandum	29
背叛	bèipàn	v.	to betray	32
背诵	bèisòng	v.	to recite, to repeat from memory	26
被动	bèidòng	adj.	passive	23
奔驰	bēnchí	v.	to run quickly, to speed	22
本钱	běnqián	n.	capital, seed money	38
迸发	bèngfā	v.	to burst forth, to burst out	26
逼迫	bīpò	v.	to force, to compel, to coerce	25
鼻涕	bítì	n.	nasal mucus	32
比重	bǐzhòng	n.	proportion	22
鄙视	bǐshì	v.	to despise, to disdain	32
闭塞	bìsè	adj.	occluded, blocked	33
边境	biānjìng	n.	border, frontier	27
编织	biānzhī	v.	to weave	26
鞭策	biāncè	v.	to spur on, to urge on	32
变故	biàngù	n.	accident, unforeseen event	28
便利	biànlì	adj.	convenient	21
辩解	biànjiě	v.	to justify, to try to defend oneself	24
表彰	biǎozhāng	v.	to commend, to cite	34
丙	bǐng	n.	third	22

并列	bìngliè	v.	to stand side by side	37
波涛	bōtāo	n.	great waves	28
播种	bō zhǒng	v.	to sow	33
博览会	bólǎnhuì	n.	exposition, expo	38
不愧	búkuì	adv.	to be worthy of	31
不屑一顾	búxiè yígù		to not spare a glance for	33
不敢当	bùgǎndāng	v.	to be flattered	31
不堪	bùkān	v.	can't stand, can't bear	26
不免	bùmiǎn	adv.	unavoidably	21
不时	bùshí	adv.	from time to time	30
不惜	bùxī	v.	to not spare, to not scruple	34
不相上下	bùxiāng-shàngxià		equally matched	30
不言而喻	bùyán'éryù		to be self-evident, to be comprehended without being told, it goes without saying that...	23
不止	bùzhǐ	v.	to be ceaseless	28
布局	bùjú	v.	to arrange, to lay out	38
布置	bùzhì	v.	to arrange, to fix up	37
部署	bùshǔ	v.	to arrange, to map out	37

C

财富	cáifù	n.	wealth, fortune	26
财务	cáiwù	n.	finance	38
裁判	cáipàn	n.	referee	24
采购	cǎigòu	n.	purchase	34
残次品	cáncì pǐn		damaged or defective product	35
残酷	cánkù	adj.	cruel, brutal	24
残留	cánliú	v.	to remain, to be left over	37
仓促	cāngcù	adj.	hasty, hurried	33
仓库	cāngkù	n.	warehouse	21
舱	cāng	n.	cabin	25
侧面	cèmiàn	n.	side	25
策略	cèlüè	n.	tactic, strategy	38
层出不穷	céngchū bùqióng		to emerge in an endless stream, to be continuing without end, to come out in an unending flow	36
层次	céngcì	n.	level, layer	39
插座	chāzuò	n.	socket	21

查获	cháhuò	v.	to hunt down and seize, to track down	37
岔	chà	v.	to change the topic or subject of conversation	29
柴油	cháiyóu	n.	diesel oil	22
昌盛	chāngshèng	adj.	prosperous, flourishing	35
场合	chǎnghé	n.	occasion, situation	30
敞开	chǎngkāi	v.	to open wide	36
倡导	chàngdǎo	v.	to advocate, to propose	32
倡议	chàngyì	v.	to propose, to advocate	36
钞票	chāopiào	n.	banknote, paper money	39
朝代	cháodài	n.	dynasty	34
潮流	cháoliú	n.	trend, fashion	22
沉淀	chéndiàn	v.	to precipitate	32
沉闷	chénmèn	adj.	depressing, dull	39
沉思	chénsī	v.	to ponder, to meditate, to be lost in thought	25
沉着	chénzhuó	adj.	composed, steady, calm	37
陈旧	chénjiù	adj.	outmoded, obsolete	23
称号	chēnghào	n.	title	34
成心	chéngxīn	adv.	intentionally, on purpose	24
成员	chéngyuán	n.	member	39
诚挚	chéngzhì	adj.	sincere	29
承办	chéngbàn	v.	to undertake	25
承包	chéngbāo	v.	to contract (with)	33
秤	chèng	n.	weighing scale	21
吃力	chīlì	adj.	strenuous, laborious	39
冲击	chōngjī	v.	to challenge, to go for	24
充实	chōngshí	adj.	substantial, rich	39
充足	chōngzú	adj.	sufficient, adequate	25
崇拜	chóngbài	v.	to adore, to admire	24
崇高	chónggāo	adj.	lofty, sublime, high	36
崇敬	chóngjìng	v.	to esteem, to respect	36
筹备	chóubèi	v.	to prepare	39
出路	chūlù	n.	way out	22
出神	chū shén	v.	to be absorbed in, to be lost in thought	28
出息	chūxi	n.	prospects, bright future	32

初步	chūbù	adj.	initial, preliminary	39
处境	chǔjìng	n.	situation, position	32
处置	chǔzhì	v.	to handle, to manage, to deal with	24
储备	chǔbèi	v.	to store for future use	21
川流不息	chuānliú-bùxī		coming and going all the time	21
串	chuàn	m.	string	22
创业	chuàngyè	v.	to start an undertaking or a business, to do pioneering work	34
创作	chuàngzuò	v.	to compose, to write	28
吹捧	chuīpěng	v.	to flatter, to tout	38
纯洁	chúnjié	adj.	pure	28
慈善	císhàn	adj.	charitable	39
次品	cìpǐn	n.	defective product	35
次序	cìxù	n.	order, sequence	34
从容	cóngróng	adj.	calm, leisurely	27
摧残	cuīcán	v.	to destroy, to damage	30
脆弱	cuìruò	adj.	weak	32
磋商	cuōshāng	v.	to consult, to negotiate	27

	D			
搭配	dāpèi	v.	to match	34
答复	dáfù	v.	to reply to	27
打包	dǎ bāo	v.	to pack	34
打官司	dǎ guānsi		to litigate, to go to law	24
打击	dǎjī	v.	to hit, to strike	32
打仗	dǎ zhàng	v.	to fight a battle	24
大臣	dàchén	n.	minister (of a monarchy)	27
大肆	dàsì	adv.	without restraint, recklessly	39
大体	dàtǐ	adv.	roughly, more or less, on the whole	22
大意	dàyi	adj.	careless	24
大致	dàzhì	adv.	roughly, approximately	25
歹徒	dǎitú	n.	gangster, evildoer	37
代价	dàijià	n.	cost, price	22
带领	dàilǐng	v.	to lead, to head	37
逮捕	dàibǔ	v.	to arrest	37
担保	dānbǎo	v.	to warrant, to guarantee, to ensure	22

胆怯	dǎnqiè	adj.	timid, cowardly	37
淡季	dànjì	n.	slack season, off season	38
蛋白质	dànbáizhì	n.	protein	31
当场	dāngchǎng	adv.	on the spot, then and there	24
当代	dāngdài	n.	present, contemporary era	34
当前	dāngqián	n.	current, at present	30
当务之急	dāngwùzhījí	adv.	top priority	25
档次	dàngcì	n.	level	29
捣乱	dǎo luàn	v.	to make trouble	33
盗窃	dàoqiè	v.	to steal	39
得天独厚	détiān dúhòu		to be richly endowed by nature, to abound in gifts of nature, to have particularly favorable natural conditions	40
得罪	dézuì	v.	to offend, to displease	27
灯笼	dēnglong	n.	lantern	26
登录	dēnglù	v.	to log in	21
蹬	dēng	v.	to kick	30
等候	děnghòu	v.	to wait	21
抵达	dǐdá	v.	to arrive at, to reach	22
地步	dìbù	n.	situation, point	30
递增	dìzēng	v.	to increase progressively	38
颠簸	diānbǒ	v.	to bump, to jolt	34
电源	diànyuán	n.	power supply	33
垫	diàn	n.	pad, cushion, mat	37
叼	diāo	v.	to hold in the mouth	37
调动	diàodòng	v.	to mobilize, to transfer	25
丁	dīng	n.	fourth	22
叮嘱	dīngzhǔ	v.	to urge again and again, o repeatedly advise	25
定期	dìngqī	adj.	regular, periodical	31
丢三落四	diūsān-làsì		to be forgetful, to miss this and that	30
动脉	dòngmài	n.	artery	29
动身	dòng shēn	v.	to set off, to set out	27
动员	dòngyuán	v.	to mobilize, to arouse	40
兜	dōu	n.	pocket, bag	26
毒品	dúpǐn	n.	drug, narcotic	37
堵塞	dǔsè	v.	to jam, to block	22

赌博	dǔbó	v.	to gamble	38
杜绝	dùjué	v.	to completely eradicate, to put an end to	36
端端正正	duānduānzhèngzhèng		straight, regular (feature)	31
端正	duānzhèng	adj.	straight	31
短促	duǎncù	adj.	short, brief	28
堆积	duījī	v.	to pile up	23
对策	duìcè	n.	countermeasure, countermove	27
对付	duìfu	v.	to tackle, to deal with	30
对立	duìlì	v.	to oppose	36
对联	duìlián	n.	couplet	33
对照	duìzhào	v.	to refer to, to compare	38
兑现	duìxiàn	v.	to fulfill	27
多元化	duōyuánhuà	adj.	diversified, pluralistic	36
堕落	duòluò	v.	to degenerate, to fall, to corrupt	36
E				
恶心	ěxīn	adj.	disgusting	32
恶化	èhuà	v.	to deteriorate, to worsen	30
遏制	èzhì	v.	to control, to curb	22
二氧化碳	èryǎnghuàtàn	n.	carbon dioxide	31
F				
发财	fā cái	v.	to make a fortune	35
发呆	fā dāi	v.	to stare blankly	30
发誓	fā shì	v.	to swear, to vow	27
发扬	fāyáng	v.	to develop, to promote, to carry forward	36
反抗	fǎnkàng	v.	to revolt, to resist, to react	37
反馈	fǎnkuì	v.	to give feedback	21
反射	fǎnshè	v.	to reflect	31
反之	fǎnzhī	conj.	otherwise, on the contrary	32
泛滥	fànlàn	v.	to be in flood, to overflow	34
贩卖	fànmài	v.	to sell, to traffic	37
方位	fāngwèi	n.	direction	25
方言	fāngyán	n.	dialect	33
方圆	fāngyuán	n.	surrounding area	33
防守	fángshǒu	v.	to defend	24
防御	fángyù	v.	to defend	24

防治	fángzhì	v.	to prevent and cure	23
纺织	fǎngzhī	v.	to spin and weave	38
放射	fàngshè	v.	to radiate	31
非法	fēifǎ	adj.	illegal	37
分寸	fēncun	n.	proper limits for speech or action	29
分解	fēnjiě	v.	to decompose, to disintegrate, to disassemble	40
分泌	fēnmì	v.	to secrete	30
分歧	fēnqí	n.	difference	36
吩咐	fēnfù	v.	to instruct, to order	25
坟墓	fénmù	n.	grave, tomb	28
粉末	fěnmò	n.	powder	37
粉碎	fěnsuì	adj.	to smash	28
丰收	fēngshōu	v.	to have a bumper harvest	35
风味	fēngwèi	n.	flavor	38
封闭	fēngbì	v.	to close, to seal	33
封建	fēngjiàn	n.	feudalism	36
封锁	fēngsuǒ	v.	to block, to seal off	25
否决	fǒujué	v.	to veto, to reject, to turn down	32
夫人	fūrén	n.	wife	31
服气	fúqì	v.	to be convinced	25
符号	fúhào	n.	symbol, sign	33
幅度	fúdù	n.	range	31
腐败	fǔbài	adj.	corrupt, rotten	36
副	fù	m.	(*used to indicate facial expression*) air, look	27
赋予	fùyǔ	v.	to give, to endow, to entrust	32
G				
改良	gǎiliáng	v.	to improve, to reform	21
钙	gài	n.	calcium	31
盖章	gài zhāng	v.	to seal, to stamp	35
干涉	gānshè	v.	to interfere, to intervene	36
干预	gānyù	v.	to intervene, to meddle	22
尴尬	gāngà	adj.	awkward	39
干劲	gànjìn	n.	passion, energy	35
岗位	gǎngwèi	n.	post, station, job	37

港湾	gǎngwān	n.	harbor	28
高明	gāomíng	adj.	brilliant, wise, bright	25
高涨	gāozhǎng	adj.	(in) high (spirits)	25
告辞	gàocí	v.	to take leave	28
割	gē	v.	to cut, to give up	22
革命	gémìng	v.	revolution	21
隔阂	géhé	n.	estrangement, misunderstanding	27
根深蒂固	gēnshēn-dìgù		deep-seated, deep-rooted, ingrained	21
根源	gēnyuán	n.	root, cause	30
公安局	gōng'ānjú	n.	public security bureau, police station	37
公然	gōngrán	adv.	openly, undisguisedly	39
公认	gōngrèn	v.	to generally acknowledge	23
公式	gōngshì	n.	formula	40
公务	gōngwù	n.	public affairs, official business	25
功劳	gōngláo	n.	credit, meritorious service (deed), contribution	23
供不应求	gōngbúyìngqiú		The supply is not adequate for the demand.	30
共计	gòngjì	v.	to add up to	23
股东	gǔdōng	n.	shareholder, stockholder	39
股份	gǔfèn	n.	share, stock	39
故乡	gùxiāng	n.	hometown	35
故障	gùzhàng	n.	malfunction, breakdown	40
关怀	guānhuái	v.	to show loving care for	21
关照	guānzhào	v.	to look after, to keep an eye on	38
观光	guānguāng	v.	to go sightseeing	38
官方	guānfāng	n.	authority, of or by the government	36
管辖	guǎnxiá	v.	to rule, to govern	40
惯例	guànlì	n.	routine	30
罐	guàn	n.	can, tin	38
光彩	guāngcǎi	n.	glamor	32
光辉	guānghuī	adj.	glorious	37
光芒	guāngmáng	n.	rays of light	26
归根到底	guīgēn-dàodǐ		in the final / last analysis	31
归还	guīhuán	v.	to return, to give back	27
规范	guīfàn	adj.	standard, normative	22

规格	guīgé	n.	standard, norm	38
规章	guīzhāng	n.	rules, regulations	36
轨道	guǐdào	n.	track, rail	30
贵族	guìzú	n.	noble, aristocrat	33
过失	guòshī	n.	fault, error	36
过问	guòwèn	v.	to bother about, to concern oneself with	36
过瘾	guò yǐn	adj.	satisfying a craving	30
H				
含糊	hánhu	adj.	vague, ambiguous	32
含义	hányì	n.	meaning, implication	28
寒暄	hánxuān	v.	to exchange conventional greetings	25
行列	hángliè	n.	ranks	22
航空	hángkōng	v.	aviation	24
毫米	háomǐ	m.	millimeter (mm.)	26
豪迈	háomài	adj.	bold and generous, heroic	28
合伙	héhuǒ	v.	to form a partnership	39
合算	hésuàn	adj.	worthwhile	39
痕迹	hénjì	n.	mark, trace	37
狠心	hěnxīn	n.	heartless, cruel-hearted	31
横	héng	adj.	sidewards	24
洪水	hóngshuǐ	n.	flood	33
哄	hǒng	v.	to coax, to humor	37
喉咙	hóulóng	n.	throat	32
呼啸	hūxiào	v.	to roar, to howl	33
呼吁	hūyù	v.	to appeal, to call on	30
胡乱	húluàn	adv.	carelessly, casually	31
化妆	huà zhuāng	v.	to put on makeup, to make up	37
画蛇添足	huàshé-tiānzú		to paint a snake with feet — superfluous	29
欢乐	huānlè	adj.	happy, joyous	39
环节	huánjié	n.	link, segment	38
荒凉	huāngliáng	adj.	desolate, wild	28
荒谬	huāngmiù	adj.	preposterous, ridiculous	23
荒唐	huāngtáng	adj.	absurd, ridiculous	24
皇帝	huángdì	n.	emperor	34
皇后	huánghòu	n.	empress, wife of an emperor	34

黄昏	huánghūn	n.	dusk	28
回避	huíbì	v.	to avoid, to dodge	29
回顾	huígù	v.	to review, to look back on	33
毁灭	huǐmiè	v.	to destroy, to ruin	30
汇报	huìbào	v.	to report, to give an account of	25
荤	hūn	n.	meat or fish	27
混乱	hùnluàn	adj.	in chaos, confused, disordered	30
活该	huógāi	v.	to deserve, to serve sb. right	25
火箭	huǒjiàn	n.	rocket	24

J

讥笑	jīxiào	v.	to laugh at, to gibe	32
机灵	jīling	adj.	smart, clever	29
机密	jīmì	n.	confidential, secret	25
基因	jīyīn	n.	gene	23
激发	jīfā	v.	to arouse, to stimulate	36
激励	jīlì	v.	to encourage, to inspire	36
吉祥	jíxiáng	adj.	lucky, propitious	35
级别	jíbié	n.	rank, level	34
极限	jíxiàn	n.	limit, maximum, extremity	40
即将	jíjiāng	adv.	to be about to, to be on the point of; soon	25
急功近利	jígōng-jìnlì		to be anxious to achieve quick success and get instant benefits	39
急剧	jíjù	adj.	rapid, sharp, sudden	21
急于求成	jíyú qiú chéng		to be anxious for success	31
籍贯	jíguàn	n.	the place of one's birth or origin	34
记性	jìxing	n.	memory	30
忌讳	jìhuì	v.	to avoid as harmful	32
季度	jìdù	n.	quarter (of a year)	38
季军	jìjūn	n.	third place winner, second runner-up	40
寄托	jìtuō	v.	to place (hope, etc.) on	35
夹杂	jiāzá	v.	to be mixed up with	33
家常	jiācháng	n.	the daily life of a family	33
家属	jiāshǔ	n.	family members	34
家喻户晓	jiāyù-hùxiǎo		to be known to every household	39
坚定	jiāndìng	adj.	firm	31

坚韧	jiānrèn	adj.	tough and tensile	31
艰难	jiānnán	adj.	hard, difficult	26
监狱	jiānyù	n.	prison, jail	37
检验	jiǎnyàn	v.	to examine, to inspect	37
见义勇为	jiànyì-yǒngwéi		to do boldly what is righteous	33
间接	jiànjiē	adj.	indirect	31
剑	jiàn	n.	sword	31
健全	jiànquán	adj.	sound, sane	32
溅	jiàn	v.	to splash	28
鉴定	jiàndìng	v.	to authenticate	34
奖励	jiǎnglì	v.	to reward, to award	34
桨	jiǎng	n.	paddle	29
降临	jiànglín	v.	to descend, to befall	28
交叉	jiāochā	v.	to intersect, to cross	37
交代	jiāodài	v.	to explain	23
交易	jiāoyì	v.	to do business, to trade	39
缴纳	jiǎonà	v.	to pay	39
较量	jiàoliàng	v.	to measure one's strength against, to have a contest	36
阶层	jiēcéng	n.	stratum, rank	39
皆	jiē	adv.	all, each and every	22
揭露	jiēlù	v.	to expose, to uncover	35
节奏	jiézòu	n.	rhythm	28
结晶	jiéjīng	n.	crystallization, fruit, product	34
结算	jiésuàn	v.	to settle accounts, to wind up an account	21
截止	jiézhǐ	v.	up to, until	36
截至	jiézhì	v.	by (a specified time), up to	40
竭尽全力	jiéjìnquánlì		to strain every nerve, to try one's best	30
借鉴	jièjiàn	v.	to use for reference, to draw lessons from	35
紧迫	jǐnpò	adj.	urgent, immediate	25
锦上添花	jǐnshàng-tiānhuā		to add a beautiful thing to a contrasting beautiful thing, to add brilliance to one's present splendor	22
进攻	jìngōng	v.	to attack	24
进展	jìnzhǎn	v.	to make progress	39
惊动	jīngdòng	v.	to shock, to startle	33

精密	jīngmì	adj.	precise, accurate	40
精通	jīngtōng	v.	to master, to be proficient in	28
精益求精	jīngyìqiújīng		to always endeavor to do still better, to constantly perfect one's skill	34
井	jǐng	n.	well	38
颈椎	jǐngzhuī	n.	cervical vertebrae	26
警告	jǐnggào	v.	to warn	24
竞赛	jìngsài	v.	to have a contest	40
境界	jìngjiè	n.	state, realm	36
纠正	jiūzhèng	v.	to correct	30
酒精	jiǔjīng	n.	alcohol	30
就近	jiùjìn	adv.	(to do or get sth.) nearby, in the neighborhood	38
拘留	jūliú	v.	to detain	39
拘束	jūshù	v.	to restrain, to restrict	33
居民	jūmín	n.	resident	30
局部	júbù	n.	part	38
咀嚼	jǔjué	v.	to chew	38
沮丧	jǔsàng	adj.	disappointed, depressed	28
举足轻重	jǔzú-qīngzhòng		to play a decisive role	30
剧烈	jùliè	adj.	intense	31
聚精会神	jùjīng-huìshén		to concentrate one's attention (and energy) on	24
绝望	jué wàng	v.	to be in despair	26
军队	jūnduì	n.	army, troops	25
K				
开阔	kāikuò	adj.	open, broad	32
开明	kāimíng	adj.	enlightened, liberal, open-minded	36
开展	kāizhǎn	v.	to carry out, to launch	36
勘探	kāntàn	v.	to prospect (mineral resources)	21
侃侃而谈	kǎnkǎn ér tán		to speak with fervor and assurance	28
砍伐	kǎnfá	v.	to cut down, to chop	28
看待	kàndài	v.	to regard, to treat	34
慷慨	kāngkǎi	adj.	generous	27
考验	kǎoyàn	v.	to test, to trial	37
磕	kē	v.	to knock, to hit	24
可观	kěguān	adj.	considerable	34

可口	kěkǒu	adj.	yummy, delicious	38
可行	kěxíng	adj.	feasible, workable, practicable	23
克制	kèzhì	v.	to restrain, to refrain	26
空洞	kōngdòng	adj.	empty, hollow, devoid of content	40
空想	kōngxiǎng	v.	to daydream	38
孔	kǒng	n.	hole	31
恐惧	kǒngjù	adj.	fearful, scared	37
空隙	kòngxì	n.	gap	37
口腔	kǒuqiāng	n.	oral cavity	37
口头	kǒutóu	adj.	oral, verbal	27
扣	kòu	v.	to deduct, to discount, to take... off...	38
哭泣	kūqì	v.	to weep, to sob, to cry	32
苦尽甘来	kǔjìn-gānlái		all sufferings have their reward, after suffering comes happiness	39
宽敞	kuānchang	adj.	spacious	33
款待	kuǎndài	v.	to treat cordially, to entertain with courtesy and warmth	25
款式	kuǎnshì	n.	model, style, design	21
矿产	kuàngchǎn	n.	mineral resources	21
框架	kuàngjià	n.	frame	37
亏待	kuīdài	v.	to treat unfairly, to treat shabbily	27
扩充	kuòchōng	v.	to expand	38

L

蜡烛	làzhú	n.	candle	26
啦	la	part.	*sound expressing exclamation or interrogation*	26
狼狈	lángbèi	adj.	in a mess, in a difficult position	33
捞	lāo	v.	to drag for, to scoop up	26
牢骚	láosāo	n.	to grumble, to complain	39
乐趣	lèqù	n.	delight, pleasure, joy	39
乐意	lèyì	v.	to be willing to, to be ready to	34
冷酷	lěngkù	adj.	unfeeling, callous, grim	40
黎明	límíng	n.	dawn	28
礼节	lǐjié	n.	courtesy, etiquette	36
里程碑	lǐchéngbēi	n.	milestone	35
理睬	lǐcǎi	v.	to pay attention to	32

理直气壮	lǐzhí-qìzhuàng		to be in the right and self-confident	27
理智	lǐzhì	adj.	rational, sensible	32
力求	lìqiú	v.	to make every effort to, to do one's best to, to strive to	22
力争	lìzhēng	v.	to work hard for, to strive for	40
历代	lìdài	n.	successive dynasties, through the ages, in all ages	26
立足	lìzú	v.	to base on	36
连年	liánnián	v.	in successive years, in consecutive years	35
联欢	liánhuān	v.	to get together, to party	33
联络	liánluò	v.	to contact	31
联想	liánxiǎng	v.	to associate, to connect in the mind	35
列举	lièjǔ	v.	to list, to enumerate	27
临床	línchuáng	v.	clinical	23
吝啬	lìnsè	adj.	stingy, miserly	34
灵魂	línghún	n.	soul, spirit	36
凌晨	língchén	n.	early morning	25
零星	língxīng	adj.	scattered	23
领会	lǐnghuì	v.	to understand, to grasp	28
领悟	lǐngwù	v.	to understand, to realize	28
领先	lǐng xiān	v.	to be in the lead, to (take the) lead	40
留念	liúniàn	v.	to accept / keep as a souvenir	38
聋哑	lóngyǎ	adj.	deaf and dumb	29
隆重	lóngzhòng	adj.	grand, solemn	27
垄断	lǒngduàn	v.	to monopolize	38
笼罩	lǒngzhào	v.	to envelope, to hang over	25
屡次	lǚcì	adv.	time and again, repeatedly	38
履行	lǚxíng	v.	to perform, to fulfill, to carry out	27
轮廓	lúnkuò	n.	outline	22
论坛	lùntán	n.	forum	36
络绎不绝	luòyì bù jué		to come and go in a continuous stream	34
落实	luòshí	v.	to implement, to fulfill	31
M				
麻痹	mábì	adj.	to slacken one's vigilance, to lower one's guard	37
蚂蚁	mǎyǐ	n.	ant	26

埋伏	máifú	v..	to ambush, to lie in wait, to lie in ambush	37
蔓延	mànyán	v.	to spread	26
漫画	mànhuà	n.	cartoon, comics	33
慢性	mànxìng	adj.	chronic	30
茫茫	mángmáng	adj.	boundless and indistinct, vast	25
茫然	mángrán	adj.	blank, vacant	30
冒充	màochōng	v.	to pretend to be	39
冒犯	màofàn	v.	to offend, to insult	27
枚	méi	m.	piece	21
美满	měimǎn	adj.	happy, perfectly satisfactory	26
美妙	měimiào	adj.	beautiful, fantastic	28
萌芽	méngyá	v.	to sprout	23
眯	mī	v.	to squint	26
迷信	míxìn	v.	to have blind faith in	40
民间	mínjiān	n.	folk, among the people	28
名誉	míngyù	n.	fame, reputation	39
明智	míngzhì	adj.	wise, sensible	22
命名	mìng míng	v.	to name	36
摸索	mōsuǒ	v.	to grope, to fumble, to feel about	39
模式	móshì	n.	mode, pattern	21
模型	móxíng	n.	model	23
魔鬼	móguǐ	n.	devil, demon	32
魔术	móshù	n.	magic	38
抹杀	mǒshā	v.	to obliterate, to write off	32
墨水儿	mòshuǐr	n.	ink	35
默默	mòmò	adv.	silently, quietly	26
谋求	móuqiú	v.	to seek, to strive for	22
沐浴	mùyù	v.	to bathe	27
		N		
耐用	nàiyòng	adj.	durable	38
南辕北辙	nányuán-běizhé		to go south by driving the chariot north — to act in a way that defeats one's purpose	24
难堪	nánkān	adj.	embarrassed	29
难能可贵	nánnéng-kěguì		praiseworthy for one's excellent conduct, rare and commendable	28
恼火	nǎohuǒ	adj.	annoyed, irritated	24

内涵	nèihán	n.	meaning, connotation	28
拟定	nǐdìng	v.	to draw up, to work out	38
逆行	nìxíng	v.	(of vehicles) to go in a direction not allowed by traffic regulations	30
捏	niē	v.	to hold between the fingers, to pinch	38
凝固	nínggù	v.	to solidify, to congeal	26
凝聚	níngjù	v.	to agglomerate, to embody	34
扭转	niǔzhuǎn	v.	to reverse, to twist	23
纽扣儿	niǔkòur	n.	button	21
虐待	nüèdài	v.	to maltreat, to abuse	31
挪	nuó	v.	to move, to shift	26
O				
偶像	ǒuxiàng	n.	idol, icon	36
哦	ò	int.	oh, ah	31
P				
排除	páichú	v.	to exclude, to eliminate	22
排放	páifàng	v.	to discharge	22
派别	pàibié	n.	faction, school	35
派遣	pàiqiǎn	v.	to send sb. on mission, to dispatch	23
攀登	pāndēng	v.	to climb	36
抛弃	pāoqì	v.	to abandon, to cast aside	39
配备	pèibèi	v.	to be equipped with	22
捧	pěng	v.	to hold in both hands	26
劈	pī	v.	to chop, to split	31
屁股	pìgu	n.	hip, bottom	26
偏见	piānjiàn	n.	prejudice, bias	32
拼搏	pīnbó	v.	to struggle, to combat	24
贫乏	pínfá	adj.	poor	26
贫困	pínkùn	adj.	poor	26
频繁	pínfán	adj.	frequently, often	24
品尝	pǐncháng	v.	to taste	38
品德	pǐndé	n.	moral character	36
品质	pǐnzhì	n.	character, quality	34
平凡	píngfán	adj.	ordinary	28
平面	píngmiàn	n.	plane, flat surface	37
平坦	píngtǎn	adj.	flat, smooth, even, level	22

平行	píngxíng	v.	to be parallel	37
平庸	píngyōng	adj.	mediocre, ordinary	38
平原	píngyuán	n.	plain	33
屏幕	píngmù	n.	screen	21
迫害	pòhài	v.	to persecute, to oppress cruelly	30
魄力	pòlì	n.	daring and resolution, boldness	32
朴素	pǔsù	adj.	plain, simple	34
普及	pǔjí	v.	to popularize	30
Q				
凄凉	qīliáng	adj.	sad, miserable	28
期限	qīxiàn	n.	deadline	25
齐全	qíquán	adj.	complete	33
齐心协力	qíxīn-xiélì		to make concerted efforts, to be all of one mind, to bend their efforts in a single direction	38
旗袍	qípáo	n.	cheongsam, a close-fitting woman's dress with high neck and slit skirt	21
旗帜	qízhì	n.	flag	40
岂有此理	qǐyǒucǐlǐ		How unreasonable!	29
启程	qǐchéng	v.	to set out, to start on a journey	25
起伏	qǐfú	v.	to rise and fall, to go up and down	30
起哄	qǐ hòng	v.	to kick up a fuss	29
起源	qǐyuán	n.	origin, beginning	35
气概	qìgài	n.	spirit, courage	28
气功	qìgōng	n.	*qigong*, a system of deep breathing exercises	31
气魄	qìpò	n.	boldness, spirit	28
气色	qìsè	n.	complexion, look	30
气势	qìshì	n.	momentum	28
迄今为止	qìjīn-wéizhǐ		so far, up to now	39
器材	qìcái	n.	equipment	23
恰当	qiàdàng	adj.	appropriate, proper	29
恰到好处	qiàdào-hǎochù		to be just perfect, to be to the point	29
迁就	qiānjiù	v.	to accommodate oneself to, to yield to	31
牵扯	qiānchě	v.	to involve	40
前景	qiánjǐng	n.	prospect, outlook	23
前提	qiántí	n.	precondition	23
潜力	qiánlì	n.	potential	31

潜移默化	qiányí-mòhuà		to influence imperceptibly	32
谴责	qiǎnzé	v.	to blame, to condemn, to denounce	24
强制	qiángzhì	v.	to force, to compel, to coerce	26
抢劫	qiǎngjié	v.	to rob	37
桥梁	qiáoliáng	n.	bridge	33
窍门	qiàomén	n.	trick, knack	36
翘	qiào	v.	to raise (one's head, tail, etc.)	35
切切实实	qièqiè shíshí		real	23
切实	qièshí	adj.	practical, feasible	23
钦佩	qīnpèi	v.	to admire, to respect, to think highly of	28
倾听	qīngtīng	v.	to listen attentively to	29
倾向	qīngxiàng	v.	to tend to, to be inclined to	29
清澈	qīngchè	adj.	clear	28
清理	qīnglǐ	v.	to clear up	21
情报	qíngbào	n.	intelligence, information	37
情理	qínglǐ	n.	sense, reason	32
情形	qíngxing	n.	situation, circumstance	26
晴朗	qínglǎng	adj.	sunny, fine and cloudless	28
请教	qǐngjiào	v.	to ask for advice, to consult	27
曲折	qūzhé	adj.	tortuous, winding	28
驱逐	qūzhú	v.	to drive out, to expel	35
屈服	qūfú	v.	to surrender, to yield, to bow to	40
渠道	qúdào	n.	channel, medium of communication	39
圈套	quāntào	n.	trap, snare	27
拳头	quántóu	n.	fist	30
缺席	quē xí	v.	to be absent (from a meeting, etc.)	35
确保	quèbǎo	v.	to ensure, to guarantee	22
确立	quèlì	v.	to establish	35
群众	qúnzhòng	n.	the crowd, general public	31
R				
扰乱	rǎoluàn	v.	to disrupt, to disturb	30
人工	réngōng	n.	manpower, labor	21
人为	rénwéi	adj.	artificial, man-made	23
任性	rènxìng	adj.	capricious, self-willed	40
任意	rènyì	adv.	arbitrarily, willfully	39

任重道远	rènzhòng-dàoyuǎn		it is an arduous task and the road is long; to take a heavy burden and embark on a long road	35
日新月异	rìxīn-yuèyì		to change rapidly, to alter from day to day	39
荣幸	róngxìng	adj.	honored, privileged	27
荣誉	róngyù	n.	honor	34
容纳	róngnà	v.	to hold, to accept	36
容忍	róngrěn	v.	to bear, to tolerate	30
融化	rónghuà	v.	to melt, to thaw	22
揉	róu	v.	to rub	26
儒家	Rújiā	n.	Confucianism	26
弱点	ruòdiǎn	n.	weakness	31
S				
撒谎	sā huǎng	v.	to lie	27
散文	sǎnwén	n.	prose	26
散发	sànfā	v.	to send forth, to give off	35
骚扰	sāorǎo	v.	to harass	26
刹车	shā chē	v.	to brake, to stop	24
上进	shàngjìn	v.	to be self-motivated	32
上瘾	shàng yǐn	v.	to be addicted (to sth.), to get into the habit (of doing sth.)	39
尚且	shàngqiě	conj.	even	34
奢侈	shēchǐ	adj.	luxurious	30
舌头	shétou	n.	tongue	37
设立	shèlì	v.	to establish, to set up	39
社区	shèqū	n.	community, residential community	33
深情厚谊	shēnqíng hòuyì		profound sentiments of friendship, deep friendship	28
神气	shénqì	adj.	impressive, vigorous	35
神圣	shénshèng	adj.	sacred, holy	34
神态	shéntài	n.	expression, manner, mien	35
神仙	shénxiān	n.	immortal, supernatural being	32
审查	shěnchá	v.	to examine, to check	39
慎重	shènzhòng	adj.	careful, cautious, prudent	37
生理	shēnglǐ	n.	physiology	23
生锈	shēng xiù	v.	to get rusty	31
声誉	shēngyù	n.	reputation, fame, prestige	27

胜负	shèngfù	n.	victory or defeat, success or failure	24
盛开	shèngkāi	v.	to be in full bloom	35
盛行	shèngxíng	v.	to prevail	30
尸体	shītǐ	n.	corpse, dead body	27
失误	shīwù	n.	fault, slip	37
石油	shíyóu	n.	petroleum	22
实力	shílì	n.	prowess, actual strength	27
实事求是	shíshì-qiúshì		to seek truth from facts	23
实质	shízhì	n.	essence, substance	29
使命	shǐmìng	n.	mission	34
示范	shìfàn	v.	to set an example, to demonstrate	36
事故	shìgù	n.	accident	22
事件	shìjiàn	n.	event, incident	24
试图	shìtú	v.	to attempt, to try	22
试验	shìyàn	v.	to test, to do an experiment	29
视频	shìpín	n.	video	29
是非	shìfēi	n.	right and wrong	29
适宜	shìyí	adj.	suitable, appropriate	30
逝世	shìshì	v.	to pass away, to die	28
收藏	shōucáng	v.	to collect	34
收缩	shōusuō	v.	to shrink	29
收益	shōuyì	n.	profit, gains	29
收音机	shōuyīnjī	n.	radio	21
手法	shǒufǎ	n.	skill, technique	35
手艺	shǒuyì	n.	handicraft, craftsmanship	34
守护	shǒuhù	v.	to guard, to watch	24
首要	shǒuyào	adj.	first, of the first importance	31
舒畅	shūchàng	adj.	happy, entirely free from worry	31
疏忽	shūhu	v.	to neglect, to overlook	24
束	shù	m.	beam	33
束缚	shùfù	v.	to bound, to tie	32
树立	shùlì	v.	to set up, to build	36
数额	shù'é	n.	number, amount	38
衰老	shuāilǎo	adj.	aging	30
衰退	shuāituì	v.	to decline, to decay	31

率领	shuàilǐng	v.	to lead, to head, to command	27
双胞胎	shuāngbāotāi	n.	twins	33
水龙头	shuǐlóngtóu	n.	water tap	21
私自	sīzì	adv.	privately, personally	25
思念	sīniàn	v.	to miss	37
寺庙	sìmiào	n.	temple	33
肆无忌惮	sìwú-jìdàn		to act recklessly and care for nobody, to act outrageously	29
耸	sǒng	v.	to shrug	35
塑造	sùzào	v.	to portray	35
算数	suàn shù	v.	to count, to hold, to stand	25
岁月	suìyuè	n.	years, time	32
损坏	sǔnhuài	v.	to damage, to spoil	29

T

塌	tā	v.	to collapse, to fall down	32
泰斗	tàidǒu	n.	leading authority	34
摊	tān	v.	to spread out	26
弹性	tánxìng	n.	elasticity, resilience	40
坦白	tǎnbái	adj.	honest, frank	39
叹气	tàn qì	v.	to sigh	25
探测	tàncè	v.	to detect	29
探讨	tàntǎo	v.	to discuss	29
探望	tànwàng	v.	to visit, to pay a visit to, to call on	25
掏	tāo	v.	to take out, to draw out	38
陶瓷	táocí	n.	pottery and porcelain	34
特定	tèdìng	adj.	specific	29
特意	tèyì	adv.	for a special purpose, specially	24
提炼	tíliàn	v.	to refine, to extract	29
提议	tíyì	v.	to propose, to suggest	27
题材	tícái	n.	subject, theme	35
体面	tǐmiàn	adj.	respectable, decent	32
天才	tiāncái	n.	genius	25
天赋	tiānfù	n.	talent, gift	26
天伦之乐	tiānlúnzhīlè		the happiness of a family union	33
天堂	tiāntáng	n.	heaven, paradise	26

天文	tiānwén	n.	astronomy	26
田径	tiánjìng	n.	track and field	40
田野	tiányě	n.	field, open country	26
舔	tiǎn	v.	to lick	37
调剂	tiáojì	v.	to adjust, to regulate	30
调节	tiáojié	v.	to regulate	29
停泊	tíngbó	v.	to park	22
停顿	tíngdùn	v.	to stop, to halt, to pause	37
通货膨胀	tōnghuò-péngzhàng		inflation	38
通俗	tōngsú	adj.	popular, ordinary	23
通用	tōngyòng	v.	to be in common use, to be universal	29
同胞	tóngbāo	n.	fellow countryman, compatriot	40
同志	tóngzhì	n.	comrade	34
铜	tóng	n.	copper	37
投机	tóujī	adj.	congenial, agreeable	28
投票	tóu piào	v.	to vote	21
透露	tòulù	v.	to disclose, to reveal	36
图案	tú'àn	n.	pattern	34
徒弟	túdì	n.	apprentice	31
途径	tújìng	n.	way, approach	29
涂抹	túmǒ	v.	to paint, to daub	35
推销	tuīxiāo	v.	to promote sales	35
吞吞吐吐	tūntūntǔtǔ		to mutter and mumble, to falter out a few words	35
拖延	tuōyán	v.	to delay, to put off	25
妥当	tuǒdàng	adj.	appropriately, properly	25
唾弃	tuòqì	v.	to cast aside	36
W				
娃娃	wáwa	n.	baby, child	32
哇	wa	part.	wow	26
歪曲	wāiqū	v.	to distort, to misrepresent, to twist	27
外行	wàiháng	n.	layman, outsider	35
外界	wàijiè	n.	the outside world, the external world	32
完备	wánbèi	adj.	complete	36
顽固	wángù	adj.	stubborn	30

顽强	wánqiáng	adj.	indomitable, staunch, tenacious	40
挽救	wǎnjiù	v.	to save, to rescue	23
万分	wànfēn	adv.	very much, extremely	23
往事	wǎngshì	n.	the past	33
妄想	wàngxiǎng	n.	delusion	27
威风	wēifēng	n.	panache, awe-inspiring bearing	33
威望	wēiwàng	n.	prestige	34
威信	wēixìn	n.	prestige	34
微不足道	wēibùzúdào		insignificant, negligible	24
为难	wéinán	v.	to embarrass, to make things difficult for	25
为期	wéiqī	v.	for a period of, for a term of	33
违背	wéibèi	v.	to violate, to go against	29
维护	wéihù	v.	to maintain	23
维生素	wéishēngsù	n.	vitamin	31
委托	wěituō	v.	to entrust, to authorize	25
温和	wēnhé	adj.	mild, gentle	34
文物	wénwù	n.	cultural relic, historical relic	34
文献	wénxiàn	n.	document, literature	35
无偿	wúcháng	adj.	free of charge, for free	34
无耻	wúchǐ	adj.	shameless, impudent	36
无动于衷	wúdòngyúzhōng		unmoved, indifferent	30
无拘无束	wújū-wúshù		unrestrained, unfettered	33
无理取闹	wúlǐ-qǔnào		to make trouble out of nothing	27
无穷无尽	wúqióng-wújìn		inexhaustible, boundless, endless, from everlasting to everlasting	39
无微不至	wúwēi-búzhì		meticulously, in every possible way	21
武器	wǔqì	n.	weapon, arms	25
物美价廉	wù měi jià lián		cheap and fine	38
物业	wùyè	n.	property, real estate	33
误解	wùjiě	v.	to misunderstand	31
X				
熄灭	xīmiè	v.	to put out, to extinguish	26
媳妇	xífu	n.	wife	33
喜闻乐见	xǐwén-lèjiàn		to love to see and hear, to be delighted to hear and see	35
细胞	xìbāo	n.	cell	30

细致	xìzhì	adj.	meticulous, careful	23
狭隘	xiá'ài	adj.	narrow	32
狭窄	xiázhǎi	adj.	narrow, cramped	40
霞	xiá	n.	morning or evening glow	34
下属	xiàshǔ	n.	subordinate	25
先进	xiānjìn	adj.	advanced, cutting-edge	23
先前	xiānqián	n.	previously, before	23
掀起	xiānqǐ	v.	to start, to set off, to stir up	40
贤惠	xiánhuì	adj.	(of a woman) virtuous	33
弦	xián	n.	string (of a musical instrument)	28
嫌	xián	v.	to dislike, to mind, to complain of	21
嫌疑	xiányí	n.	suspicion	37
现场	xiànchǎng	n.	site, spot	33
现成	xiànchéng	adj.	ready-made	35
线索	xiànsuǒ	n.	clue, thread	37
相辅相成	xiāngfǔ-xiāngchéng		to exist side by side and play a part together, to be inseparably interconnected, to be supplementary to each other	40
相应	xiāngyìng	v.	corresponding	21
响亮	xiǎngliàng	adj.	loud and clear, resounding	25
响应	xiǎngyìng	v.	to respond	33
向来	xiànglái	adv.	always, all along	28
巷	xiàng	n.	lane	34
相声	xiàngsheng	n.	crosstalk	29
消除	xiāochú	v.	to eliminate, to remove	23
消毒	xiāo dú	v.	to disinfect	31
消灭	xiāomiè	v.	to eliminate, to eradicate	23
销毁	xiāohuǐ	v.	to destroy by melting or burning	34
肖像	xiàoxiàng	n.	portrait	38
效益	xiàoyì	n.	efficiency	22
协会	xiéhuì	n.	association, club	31
协助	xiézhù	v.	to assist	23
泄露	xièlòu	v.	to leak, to disclose	27
泄气	xiè qì	v.	to lose heart, to be frustrated	26
屑	xiè	n.	scraps, crumbs	37

谢绝	xièjué	v.	to refuse, to decline	35
心得	xīndé	n.	what one has learned from work, study, etc.	35
心态	xīntài	n.	attitude, mental state	24
欣欣向荣	xīnxīn-xiàngróng		thriving, flourishing, prosperous	21
新郎	xīnláng	n.	bridegroom	33
新娘	xīnniáng	n.	bride	33
新颖	xīnyǐng	adj.	fashionable	21
信赖	xìnlài	v.	to trust	37
信念	xìnniàn	n.	faith, belief	35
信仰	xìnyǎng	n.	faith, belief	35
兴隆	xīnglóng	adj.	prosperous, thriving, flourishing, brisk	21
兴旺	xīngwàng	adj.	prosperous, flourishing, thriving	38
腥	xīng	adj.	having the smell of fish, seafood, etc.	21
刑事	xíngshì	adj.	criminal, penal	37
性能	xìngnéng	n.	function (of a machine, etc.), performance	21
凶恶	xiōng'è	adj.	fierce, vicious	35
凶手	xiōngshǒu	n.	murderer	24
胸怀	xiōnghuái	n.	mind, heart	26
胸膛	xiōngtáng	n.	breast, chest	40
雄厚	xiónghòu	adj.	abundant, solid, tremendous	27
雄伟	xióngwěi	adj.	magnificent, majestic, grand	28
修复	xiūfù	v.	to fix, to restore	32
须知	xūzhī	v.	one should know that, it must be understood that	32
虚假	xūjiǎ	adj.	false, deceptive	29
虚荣	xūróng	n.	vanity	39
虚伪	xūwěi	adj.	hypocritical	29
需求	xūqiú	n.	demand, need, requirement	21
许可	xǔkě	v.	to permit	32
宣扬	xuānyáng	v.	to advertise	31
喧哗	xuānhuá	adj.	tumultuous, noisy	33
悬殊	xuánshū	adj.	with great disparity, with a wide gap	40
悬崖峭壁	xuányá qiàobì		precipitous rock faces and sheer cliffs, sheer precipice and overhanging rocks	40
旋律	xuánlǜ	n.	melody	28
选拔	xuǎnbá	v.	to select, to choose	40

选手	xuǎnshǒu	n.	athlete selected for a sports meet, competitor	40
雪上加霜	xuěshàng-jiāshuāng		snow plus frost — one disaster after another, to add to the misfortunes of one who is already unfortunate	24
血压	xuèyā	n.	blood pressure (BP)	23
熏陶	xūntáo	v.	to nurture, to edify	26
循环	xúnhuán	v.	to circulate	29
循序渐进	xúnxù-jiànjìn		step by step	31

Y

压迫	yāpò	v.	to oppress, to repress	27
亚军	yàjūn	n.	second place, runner-up, silver medal	40
烟花爆竹	yānhuā bàozhú		fireworks, firecrackers	35
淹没	yānmò	v.	to drown, to overwhelm	32
严禁	yánjìn	v.	to forbid strictly	40
严密	yánmì	adj.	tight, close	25
炎热	yánrè	adj.	scorching, burning hot	26
眼神	yǎnshén	n.	expression in one's eyes	33
演习	yǎnxí	v.	to maneuver, to exercise, to drill	40
演绎	yǎnyì	v.	to interpret, to act out	33
演奏	yǎnzòu	v.	to play (an instrument), to give an instrumental performance	28
验证	yànzhèng	v.	to test and verify	23
氧气	yǎngqì	n.	oxygen	29
要素	yàosù	n.	element	31
耀眼	yàoyǎn	adj.	dazzling	26
依据	yījù	prep.	according to	38
依赖	yīlài	v.	to depend on	23
依托	yītuō	v.	to rely on, to depend on	40
一贯	yíguàn	adj.	consistent, always	27
一目了然	yímù-liǎorán		to be clear at a glance	29
仪器	yíqì	n.	instrument, apparatus	21
仪式	yíshì	n.	ceremony	27
遗传	yíchuán	v.	to inherit	23
以免	yǐmiǎn	conj.	lest, for fear that	21
以往	yǐwǎng	n.	before, previously	38
一帆风顺	yìfān-fēngshùn		everything is going smoothly; to go off smoothly, to have a favorable wind all the way	35

一丝不苟	yìsī-bùgǒu		to be scrupulous about every detail	29
亦	yì	adv.	also, too	27
意料	yìliào	v.	to expect	24
意图	yìtú	n.	intention, purpose	25
意向	yìxiàng	n.	intention, purpose	29
翼	yì	n.	wing	22
阴谋	yīnmóu	n.	plot, conspiracy	24
音响	yīnxiǎng	n.	stereo	21
引导	yǐndǎo	v.	to guide, to lead	22
引擎	yǐnqíng	n.	engine	22
引用	yǐnyòng	v.	to cite	40
隐患	yǐnhuàn	n.	hidden trouble, hidden danger	23
英勇	yīngyǒng	adj.	heroic, brave	33
应邀	yìngyāo	v.	to be at sb's invitation	28
拥护	yōnghù	v.	to support, to uphold	34
庸俗	yōngsú	adj.	vulgar	29
永恒	yǒnghéng	adj.	eternal, perpetual	38
涌现	yǒngxiàn	v.	to emerge in large numbers, to spring up	40
踊跃	yǒngyuè	adj.	eager, active	38
优胜劣汰	yōushèng-liètài		survival of the fittest; to select the superior and eliminate the inferior	22
优先	yōuxiān	v.	to take precedence, to have priority	40
优越	yōuyuè	adj.	superior	23
幼稚	yòuzhì	adj.	childish, naïve	33
舆论	yúlùn	n.	public opinion	40
羽绒服	yǔróngfú	n.	down jacket	21
玉	yù	n.	jade	27
预料	yùliào	v.	to expect, to anticipate, to predict	23
预期	yùqī	v.	to expect, to anticipate	31
预先	yùxiān	adv.	in advance, beforehand	29
预言	yùyán	v.	to predict, to foretell	21
预兆	yùzhào	n.	sign, omen	23
寓言	yùyán	n.	fable, allegory, parable	35
冤枉	yuānwang	v.	to wrong sb. (with false charges, etc.), to treat unjustly	24

元宵节	Yuánxiāo Jié	n.	the Lantern Festival	33
原理	yuánlǐ	n.	principle	40
圆满	yuánmǎn	adj.	satisfactory, perfect	25
缘故	yuángù	n.	reason, cause	29
源泉	yuánquán	n.	source	26
乐谱	yuèpǔ	n.	music score	28
孕育	yùnyù	v.	to be pregnant with, to breed	38
运算	yùnsuàn	v.	to calculate	21
熨	yùn	v.	to iron	24
Z				
再接再厉	zàijiē-zàilì		to make persistent efforts	35
攒	zǎn	v.	to save, to accumulate, to gather	23
暂且	zànqiě	adv.	for the time being, for the moment	37
赞叹	zàntàn	v.	to admire, to highly praise	28
遭受	zāoshòu	v.	to suffer, to undergo	24
糟蹋	zāotà	v.	to waste, to spoil	30
增添	zēngtiān	v.	to add	35
赠送	zèngsòng	v.	to give as a present	34
扎实	zhāshi	adj.	solid, sound	35
诈骗	zhàpiàn	v.	to defraud	39
沾光	zhān guāng	v.	to benefit from association with sb. or sth.	34
展望	zhǎnwàng	v.	to forecast, to look into the distance	23
占据	zhànjù	v.	to occupy, to take over	35
占领	zhànlǐng	v.	to occupy, to conquer	25
战略	zhàn lüè	n.	strategy	23
战术	zhànshù	n.	tactics	40
战役	zhànyì	n.	campaign, battle	37
招收	zhāoshōu	v.	to recruit, to enroll, to take in	36
着迷	zháo mí	v.	to be fascinated, to be captivated	26
折腾	zhēteng	v.	to turn from side to side, to toss about	30
遮挡	zhēdǎng	v.	to shelter from, to keep out	24
折磨	zhémó	v.	to torture	22
珍贵	zhēnguì	adj.	valuable, precious	39
珍珠	zhēnzhū	n.	pearl	22

真挚	zhēnzhì	adj.	sincere	28
斟酌	zhēnzhuó	v.	to consider, to think over	29
枕头	zhěntou	n.	pillow	30
振奋	zhènfèn	adj.	inspiring, exciting	23
镇静	zhènjìng	adj.	sedate, calm	27
正月	zhēngyuè	n.	the first month of the lunar year	33
争端	zhēngduān	n.	dispute, conflict	27
争气	zhēng qì	v.	to try to make a good showing, to try to win credit for, to try to bring credit to	34
争议	zhēngyì	v.	to dispute	24
征服	zhēngfú	v.	to conquer	33
正规	zhèngguī	adj.	regular, standard, normal	40
正气	zhèngqì	n.	healthy atmosphere	36
正义	zhèngyì	adj.	just, righteous	33
政策	zhèngcè	n.	policy	39
之际	zhījì		on the occasion of, during	32
支柱	zhīzhù	n.	pillar, mainstay	22
知觉	zhījué	n.	consciousness, aesthesia	26
脂肪	zhīfáng	n.	fat	29
直播	zhíbō	v.	to broadcast live	40
职能	zhínéng	n.	function	30
指定	zhǐdìng	v.	to appoint, to assign	25
指甲	zhǐjia	n.	fingernail	24
指令	zhǐlìng	n.	order, instruction	21
指责	zhǐzé	v.	to censure, to criticize	22
志气	zhìqì	n.	aspiration, ambition, morale	40
制裁	zhìcái	v.	to sanction, to punish	37
制服	zhìfú	n.	uniform	38
制约	zhìyuē	v.	to restrict, to constrain	40
治理	zhìlǐ	v.	to administer, to manage, to govern	36
智力	zhìlì	n.	intelligence	31
智商	zhìshāng	n.	intelligence	29
滞留	zhìliú	v.	to be detained, to be stuck in	22
中断	zhōngduàn	v.	to interrupt	24
中央	zhōngyāng	n.	middle, center	27

忠诚	zhōngchéng	adj.	loyal, faithful	37
忠实	zhōngshí	adj.	loyal	31
终点	zhōngdiǎn	n.	destination, terminal point	22
终究	zhōngjiū	adv.	eventually, in the end, after all	35
终止	zhōngzhǐ	v.	to stop, to end	36
衷心	zhōngxīn	adj.	heartfelt, wholehearted	36
肿瘤	zhǒngliú	n.	tumor	30
重心	zhòngxīn	n.	center of gravity	24
舟	zhōu	n.	boat	33
州	zhōu	n.	prefecture	35
周密	zhōumì	adj.	careful, thorough	29
周期	zhōuqī	n.	period, cycle	38
诸位	zhūwèi	pron.	everybody	29
逐年	zhúnián	adv.	year by year, year after year	31
主办	zhǔbàn	v.	to host, to sponsor	24
主导	zhǔdǎo	n.	lead	21
嘱咐	zhǔfù	v.	to instruct, to order	25
助理	zhùlǐ	n.	assistant	22
注重	zhùzhòng	v.	to lay stress on, to pay attention to	24
驻扎	zhùzhā	v.	to be stationed, to be quartered	25
著作	zhùzuò	n.	works, writings	31
拽	zhuài	v.	to drag, to pull	24
专长	zhuāncháng	n.	speciality	38
转达	zhuǎndá	v.	to convey, to pass on	27
转移	zhuǎnyí	v.	to transfer, to shift	32
传记	zhuànjì	n.	biography	26
庄严	zhuāngyán	adj.	dignified, solemn	27
装备	zhuāngbèi	v.	to be equipped with	40
装聋装哑	zhuānglóng zhuāngyǎ		to pretend to be deaf and dumb, to pretend to be ignorant of sth.	21
装卸	zhuāngxiè	v.	to load and unload	21
壮观	zhuàngguān	adj.	spectacular	28
追究	zhuījiū	v.	to investigate, to look into	23
卓越	zhuóyuè	adj.	outstanding, remarkable, brilliant	23
着重	zhuózhòng	v.	emphatically	21

姿态	zītài	n.	attitude, posture	27
资本	zīběn	n.	capital	38
资产	zīchǎn	n.	property, asset	40
自发	zìfā	adj.	spontaneous	40
总而言之	zǒng'éryánzhī		all in all, in short	30
总和	zǒnghé	n.	sum	21
走廊	zǒuláng	n.	corridor	31
走漏	zǒulòu	v.	to leak out, to divulge	25
阻碍	zǔ'ài	v.	to hinder, to block, to impede	22
阻挠	zǔnáo	v.	to obstruct, to thwart, to stand in the way	32
嘴唇	zuǐchún	n.	lip	24
罪犯	zuìfàn	n.	criminal, offender	39
尊严	zūnyán	n.	dignity, honor	32
遵循	zūnxún	v.	to follow, to adhere to	38
作风	zuòfēng	n.	style, style of work, way	40
座右铭	zuòyòumíng	n.	motto	29

词语 Word/Phrase	拼音 *Pinyin*	词性 Part of Speech	词义 Meaning	课号 Lesson	级别 Level
B					
*不屑	búxiè	v.	think sth. not worth doing	38	——
C					
*猝死	cùsǐ	v.	to die suddenly	40	——
D					
*电钻	diàn zuàn		electric drill	24	——
G					
*勾画	gōuhuà	v.	to draw the outline of, to sketch	22	——
J					
*激素	jīsù	n.	hormone	32	——
*久违	jiǔwéi	v.	long-lost, long-awaited	33	——
L					
*乐极生悲	lèjí-shēngbēi		extreme joy begets sorrow, after joy comes sadness	24	——
*离奇	líqí	adj.	weird, bizarre, odd	24	——
P					
*品行	pǐnxíng	n.	conduct, behavior	31	——
R					
*融合	rónghé	v.	to integrate	22	——
T					
*探听	tàntīng	v.	to make inquiries, to snoop	25	——
X					
*虚拟	xūnǐ	adj.	virtual	21	——
*宣泄	xuānxiè	v.	to get sth. off one's chest	32	——
Y					
*一齐	yìqí	adv.	together, simultaneously	25	——
*预测	yùcè	v.	to predict	23	——
Z					
*直觉	zhíjué	n.	intuition	29	——
*指数	zhǐshù	n.	index	30	——
*中意	zhòng yì	v.	to like	21	——
*紫外线	zǐwàixiàn	n.	ultraviolet rays	31	——